D0766794

rowohlts monographien
begründet von Kurt Kusenberg
herausgegeben von
Klaus Schröter

Albert Camus

mit Selbstzeugnissen
und Bilddokumenten
dargestellt von
Morvan Lebesque

Rowohlt

Dieser Band wurde eigens für «rowohlts monographien» geschrieben
Aus dem Französischen übertragen von Guido G. Meister
Den dokumentarischen und bibliographischen Anhang bearbeitete Paul Raabe
Herausgeber: Kurt Kusenberg
Schlußredaktion: K. A. Eberle
Umschlagentwurf: Werner Rebhuhn
Vorderseite: Albert Camus im Jahre 1958
(Radio Times Hulton Picture Library)
Rückseite: Aufgebahrt im Rathaus von Petit-Villeblevin (Paris-Match)

Veröffentlicht im Rowohlt Taschenbuch Verlag GmbH,
Reinbek bei Hamburg, Dezember 1960

Gesetzt aus der Linotype-Aldus-Buchschrift
und der Palatino (D. Stempel AG)
Gesamtherstellung Clausen & Bosse, Leck
Printed in Germany
880-ISBN 3 499 50050 7

184.–187. Tausend Mai 1988

Inhalt

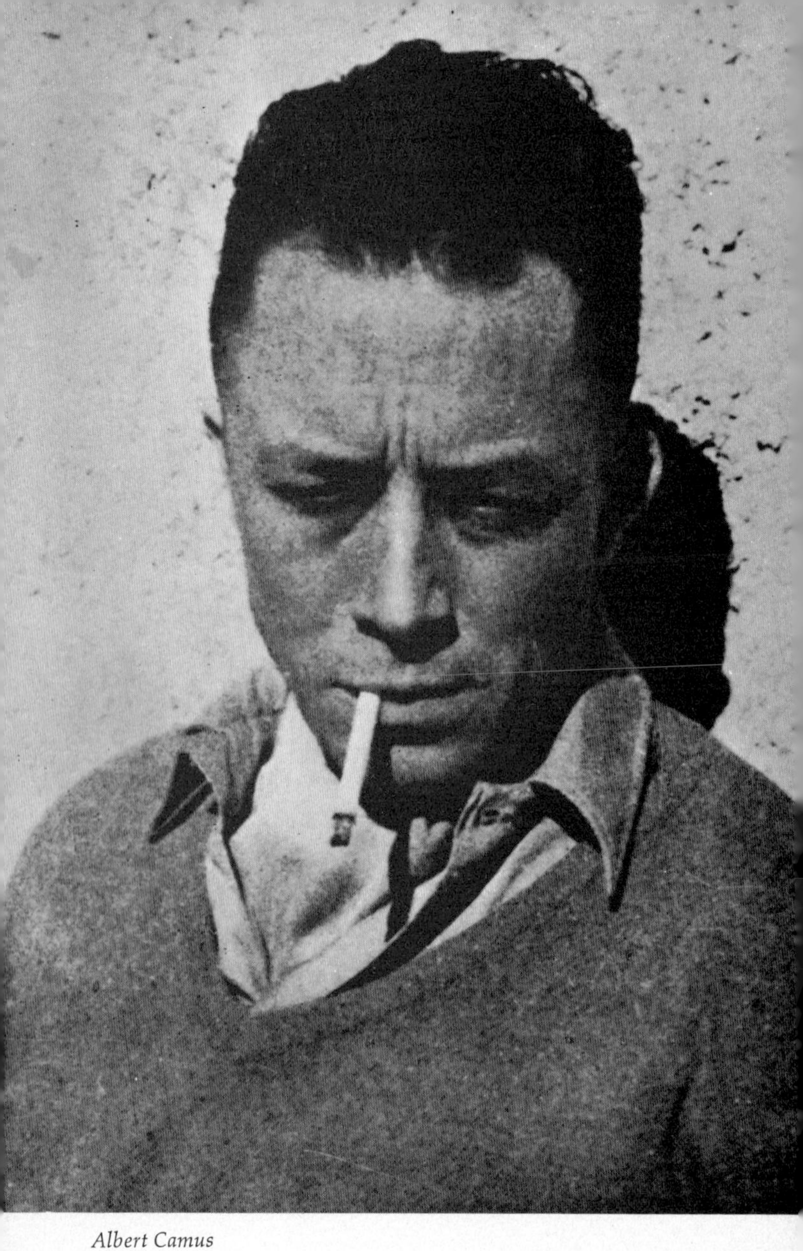

Albert Camus

Montag, den 4. Januar 1960, wurde gegen ein Viertel nach zwei Uhr auf der Straße Sens-Paris beim Weiler Villeblevin ein Bauer auf einem Fahrrad von einem Facel-Vega überholt, der, wie der Mann später erklärte, mit «schwindelerregender» Geschwindigkeit dahinraste. Nach etwa hundert Metern vernahm er einen furchtbaren Knall: der Reifen eines Hinterrads war geplatzt. Er sah den Wagen schlittern, nach links, nach rechts, gegen eine Platane prallen, dann gegen eine zweite, an der er, in zwei Teile gerissen, zum Stehen kam. Auf dem Feld lagen drei Menschen: zwei ohnmächtige Frauen und ein bewußtloser Mann: der Fahrer des Wagens, Michel Gallimard, der vier Tage später sterben sollte. In den Trümmern der Karosserie befand sich der vierte Passagier.

Er war auf der Stelle tot. Er lag zwischen den hinteren Sitzen «mit ruhigem, gleichsam erstauntem Gesicht», mit «leicht hervortretenden Augen», mit ein wenig Blut im Genick. Als man seine Taschen durchsuchte, um herauszufinden, wer er war, stieß man als erstes auf eine nicht benützte Rückfahrkarte der Eisenbahn. Und dann eine Kennkarte mit dem Namen: Albert Camus, Schriftsteller, geboren am 7. November 1913 in Mondovi, Departement Constantine.

Zur gleichen Zeit war Madame Francine Camus, die Frau des Nobelpreisträgers für Literatur des Jahres 1957, damit beschäftigt, in aller Ruhe die Pariser Wohnung für die Rückkehr ihres Mannes zu rüsten, die auf den folgenden Tag festgesetzt war. Sie wußte nicht, daß er ein paar Stunden zuvor beschlossen hatte, früher als vorgesehen im Wagen von seinem Haus in Lourmarin nach Paris zu fahren.

Eine improvisierte Totenwache in einem vom Zufall gewählten Dorf. Eine stille Beerdigung im Departement Vaucluse. Und auf der ganzen Welt ein Wort in jedem Mund: ein vorzeitiger, ein ungerechter, aber vor allem ein absurder Tod.

Diesen Mann Albert Camus, dessen Tod uns alle verwundet hat, wollen wir versuchen, näher kennenzulernen.

Der zertrümmerte Wagen

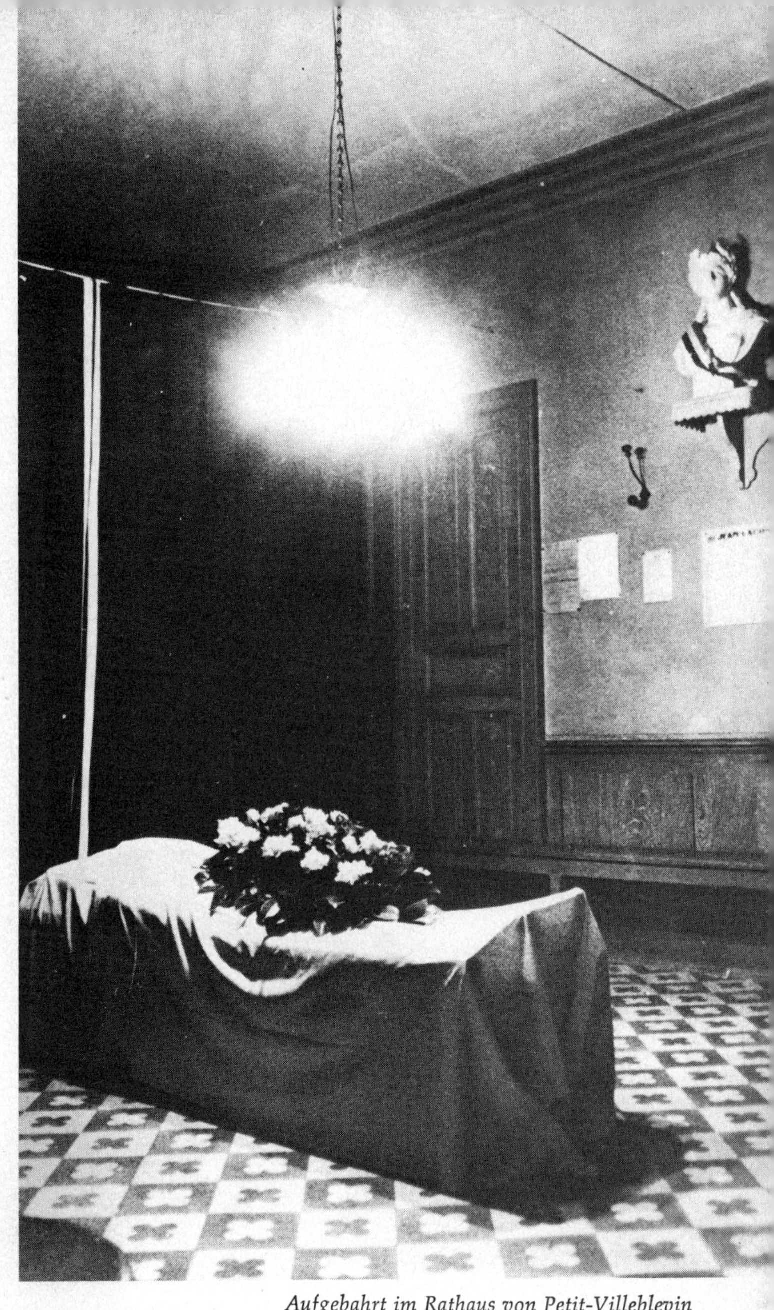

Aufgebahrt im Rathaus von Petit-Villeblevin

Straße in Algier

SONNE UND GESCHICHTE

Mein ganzes Reich ist von dieser Welt. (Noces)

Das Elend hinderte mich, zu glauben, daß alles unter der Sonne und in der Geschichte gut sei; die Sonne lehrte mich, daß die Geschichte nicht alles ist.
(Vorwort zu *L'Envers et l'Endroit*)

Ich habe das Licht, in dem ich geboren wurde, nicht verleugnen können, aber gleichzeitig wollte ich auch den Verpflichtungen unserer Zeit nicht aus dem Wege gehen.
(L'Été: Retour à Tipasa)

Algerien, blutrote Blüte Frankreichs, im Abenteuer erobert, im Zufall der politischen Deportationen des 19. Jahrhunderts bevölkert, hat eine eigenartige Rasse herangebildet, die sich heute inmitten von zwölf Millionen eingeborenen Arabern schmerzlich in der Minderheit fühlt. Algerien ist Europa außerhalb von Europa, ein aus dem wohlgeordneten Sechseck des Mutterlands herausgebrochenes Frankreich, gleichsam ein Stück eines Puzzles, das sich nicht mehr einordnen lassen will. Dort findet sich alles bunt zusammengewürfelt: Nachkommen der Revolutionäre von 1848 und der Kommunekämpfer, Spanier, Italiener, Malteser, Juden. Sie alle sind Franzosen, sei es von Geburt, sei es durch Erlaß oder durch Einbürgerung; sie alle wollen Franzosen sein und bleiben, nichts aufgeben, auf nichts verzichten, und so nähren sie sich seit acht Jahren von den Früchten des Zorns, in Blut und Tragödie lebend, vielleicht zum Tode verurteilt.

So ist es heute, 1960. Aber wenn jemand dies 1913 prophezeit hätte, wäre er ausgelacht worden. 1913 war Algerien ruhig; in den Djebels wurde nicht gekämpft, in den Städten fuhren keine vergitterten Autos, man konnte ungehindert jedes Café betreten, und ein auf der Bank in einer Anlage liegengebliebenes Paket enthielt sicher keine Bombe. Algerien war damals eine «Kolonie», das heißt ein Land, in dem zwei Völker lebten; ein tätiges, rühriges Volk, dessen Überlegenheit über das andere, fatalistische und besitzlose, von niemand bestritten wurde. Es war die Frucht der Eroberung — aber welcher eigentlich? Achtzig Jahre zuvor hatte Karl X. in seinen politischen Schwierigkeiten das Bedürfnis empfunden, seine Herrschaft durch eine kleine militärische Expedition zu stärken. Man war auf einen kurzen, waffenklirrenden Spaziergang gefaßt, der nur eben die Vorstadtopposition besänftigen sollte. Das unerwartete Ergebnis aber war, daß Karl X. seinen Thron verlor, während Algerien besetzt wurde. Von da an mußten die nachfolgenden Regimes sich wohl oder

Vier Jahre alt

übel und koste es, was es wolle, das Geschenk gefallen lassen. Anfänglich zeigten sie keine besondere Begeisterung. Dann stellte es sich heraus, daß Algerien eine zwiefache Nützlichkeit besaß: einerseits konnten dort Soldaten ausgebildet werden, die anschließend in Paris die Meuterer in Schranken hielten, und andererseits konnten eben diese Meuterer dorthin verbannt werden. Als dann die Dritte Republik den «kolonialen Aufschwung» zum Staatscredo erhob, wurde Algerien endgültig adoptiert: Algerien mit seinen Reichtümern und seinen Wüsten, seiner leicht erreichbaren Exotik und seiner sorgsam diskriminierten doppelten Bevölkerung.

Die Diskriminierung wurde nicht in Zweifel gezogen. Vielleicht gab es gute und schlechte Araber, aber selbst der beste (oder vornehmste oder intelligenteste oder reichste) unter ihnen war selbst dem geringsten oder gar «gemischtesten» Franzosen unterlegen. Was aber die Franzosen betrifft, so waren sie ihrer Rechte so gewiß, daß sie es nicht einmal für notwendig hielten, sie geltend zu machen. Sie hätten laut herausgelacht, wenn ihnen jemand vorausgesagt hätte, daß es eines Tages auch eine algerische Elite geben werde und eine «Algerische Schule», die einer der ihren, ein weltbekannter Schriftsteller, verkörpern würde. 1913 waren sie nur darauf bedacht, zu leben, zu arbeiten und es sich nach Möglichkeit wohlergehen zu lassen. Einigen unter ihnen, die sich zu mächtigen Sippen zusammengeschlossen hatten, war es bereits gelungen: die bescheidene Hütte von einst, in der noch das rostige Gewehr aus den Tagen der Eroberung an der

Wand hing, war zum reichen Herrensitz geworden, mit Phosphorgruben und Weinbergen. Aber die Mehrheit setzte sich noch immer aus Armen zusammen, ja aus Proletariern, den «kleinen Weißen» in den Südstaaten von Nordamerika vergleichbar; zu ihnen gehörte jener Lucien Camus, Landarbeiter, der eine Magd spanischer Herkunft geheiratet, zwei Söhne mit ihr gezeugt hatte und sich weniger als ein Jahr nach der Geburt des zweiten, Albert, angetan mit der Uniform der Zuaven in der Marne-Schlacht töten ließ.

Marne; offener Schädel. Blind, eine Woche lang Ringen mit dem Tod; ... Er war auf dem Feld der Ehre gefallen, wie man zu sagen pflegt ... Das Lazarett hat der Witwe auch noch einen kleinen Granatsplitter geschickt, der in seinem zerfetzten Körper gefunden worden war. (1) *

Ihr Mann war fernab von ihr auf dem Militärfriedhof von Saint-Brieuc in der Bretagne beigesetzt worden, und Madame Camus zog von Mondovi nach Algier. Um sich und

---

* Die hinter den zitierten Texten stehenden, eingeklammerten Zahlen verweisen auf das Zitat-Register. Dieses gibt an, aus welchem Werk der betreffende Text stammt.

Blick auf Algier

ihre Kinder durchzubringen, hatte sie nur ihre Witwenrente und ihre beiden Hände. Sie ging also als Stundenfrau zu den «Reichen», für die sie wusch und schrubbte. Und als Unterkunft wählte sie ganz selbstverständlich eine enge Wohnung im volkreichen Stadtviertel Belcourt.

Belcourt, Bab-el-Qued ... Hier sind die «kleinen Weißen», von denen wir eben gesprochen haben, zu Hause: ein buntes Viertel zu Füßen der Kasbah, der Schmelztiegel der weißen Stadt. Hier leben Europäer und Araber nebeneinander in engem Umgang, der allerdings rassische Gefühle keineswegs ausschließt. Im Gegenteil: 1958 und 1960 nahmen die Meutereien der «Ultras» von diesen Vierteln ihren Ausgang.

Nicht genug damit, daß man sich hier als Algerier fühlt, man ist «von Algier» und empfindet wenig freundschaftliche Gefühle für die anderen Städte des Landes, Mißtrauen und sogar Verachtung für die Leute aus dem Mutterland, die «Francaouis»; man hält sich an strenge Bräuche wie etwa, daß in den jüdischen Familien die Frauen den Männern die Füße waschen; man spricht eine ganz besondere Sprache, das mit überraschenden Ausdrücken ausgeschmückte «Pataouète»: «Hahnentod! Wenn ich lüge, soll meine Haut sich in Fetzen von mir lösen und mein Gesicht mich im Stich lassen ...» Für einen Franzosen von jenseits des Meeres erinnert das alles an Pagnols Marseille – Knoblauch, Sonne, große Reden, sprachliche Übertreibungen –, ein übersteigertes Marseille in der zehnten Potenz. Wenn man dieses Viertel jedoch besser kennenlernt – oder wenn man ihm früh mit Kinderaugen begegnet ist –,

Elementarschüler Albert (vorn, Mitte) zwischen den Arbeitern seines Onkels

entdeckt man eine weniger verschwommene und ansprechendere Menschheit.

In Belcourt wie auch in Bab-el-Oued wird jung geheiratet. Man fängt sehr früh an, zu arbeiten, und erschöpft in zehn Jahren die Erfahrungen eines Menschenlebens. Ein dreißigjähriger Arbeiter hat bereits alle seine Karten ausgespielt. Wenn er glücklich war, dann jäh und erbarmungslos. So ist sein ganzes Leben. Und dann begreift man, daß er in diesem Land zur Welt kam, wo alles gegeben wird, um wieder genommen zu werden ... Der Begriff der Hölle, zum Bei-

spiel, ist hier nicht mehr als ein gemütlicher Scherz. Nicht daß diese Menschen keine Grundsätze hätten. Man besitzt seine Moral, und zwar eine höchst persönliche. Man «respektiert» seine Mutter. Man verschafft seiner Frau auf der Straße Achtung. Man behandelt eine Schwangere mit Zuvorkommenheit. Man fällt nicht zu zweit über einen Dritten her, denn «das macht sich schlecht». Wer sich nicht an diese elementaren Gebote hält, «der ist kein Mann», und damit ist der Fall erledigt... Aber gleichzeitig ist die Krämermoral hier unbekannt. Ich habe in den Gesichtern rings um mich stets Mitleid gelesen, wenn ein Mensch von Polizisten abgeführt wurde. Und noch ehe man wußte, ob der Betreffende ein Dieb, ein Vatermörder oder ganz einfach ein Querulant war, sagte man: «Der Ärmste», oder mit einer Spur Bewunderung: «Das ist ein richtiger Pirat!» (2)

In diesem malerischen und so fröhlich gewöhnlichen Viertel, das doch der Menschlichkeit nicht entbehrte, wuchs zwischen der Wohnung der Mutter und der Werkstatt des Onkels, der Faßbinder war, der kleine Albert Camus auf.

Ich denke an einen kleinen Jungen, der in einem Armenviertel lebte. Dieses Viertel, dieses Haus! Es besaß nur ein Stockwerk, und auf der Treppe gab es kein Licht... An den Sommerabenden setzen die Arbeiter sich auf ihren Balkon. Bei ihm gab es nur ein winziges Fenster. Sie trugen Stühle vor das Haus, um den Abend zu genießen. ... Sommernächte, unerforschliche Geheimnisse, in denen Sterne aufsprühten! Hinter dem Jungen lag ein stinkender Gang, und sein Stühlchen mit dem eingebrochenen Sitz sackte ein wenig unter ihm ab. Aber mit erhobenen Augen schlürfte er die reine Nacht. (3)

Von 1919 an besuchte er in Matrosenkleid und Sandalen die Grundschule von Belcourt. Er blieb dort bis zur Abschlußprüfung im Jahre 1924, nach der die meisten Kinder seiner Gesellschaftsschicht aus der Schule austraten, um ein Handwerk zu erlernen. Zum Glück war da ein Mann, der es anders im Sinn hatte: Louis Germain, Alberts Lehrer, dem die Begabung des Jungen aufgefallen war und der ihn für ein Mittelschul-Stipendium vorschlug. Wahrscheinlich verlief das alles nicht so glatt, wie es sich jetzt anhört, denn zu jener Zeit herrschte im algerischen Volk ein hartnäckiges Vorurteil gegen die höhere Schulbildung. Diese Abkömmlinge der Pioniere mißtrauten den Intellektuellen, und Madame Camus teilte mehr oder weniger bewußt diese Einstellung. (Wenn ich einem Zeugen glauben darf, sieht sie noch heute in dem soliden Handwerk ihres älteren Sohnes bedeutend mehr Grund, stolz zu sein, als in dem weltweiten Ruhm des Jüngeren.) Indessen schwieg sie, vielleicht schon damals aus jener *seltsamen Gleichgültigkeit* heraus, die Camus später an ihr – und an sich – feststellen sollte. *Die Mutter des Jungen verharrte ebenfalls schweigend. Es kam vor, daß sie gefragt wurde: «Woran denkst du?» – «An nichts», antwortete sie. Und das stimmte wohl. Alles ist da, also nichts. Ihr Leben, ihre Anliegen, ihre Kinder begnügen sich damit, da zu sein, mit einer zu selbstverständlichen Anwesenheit, als daß sie noch empfunden würde... Sie denkt an nichts. Draußen Licht und Lärm, hier Stille und Dunkel. Der Junge wird heranwachsen, lernen. Man zieht ihn groß und wird Dankbarkeit von ihm fordern, als ersparte man ihm den Schmerz. Seine Mutter wird immer schweigsam bleiben. Er indessen wird fortschreiten im Schmerz. Ein Mann sein, darauf kommt es an.* (4)

Die französischen Gymnasien von 1926 waren ein wenig verschieden von den heutigen. Die Bourgeoisie beanspruchte sie beinahe ausschließlich für ihre Söhne, und ein Stipendiat wurde als armer Verwandter betrachtet, beinahe als Zögling der Armenfürsorge. Gewiß unterschied er sich nicht mehr wie im vorhergehenden Jahrhundert durch eine vorgeschriebene Tracht von seinen Kameraden, aber man forderte mehr Ernst und mehr Fleiß von ihm, denn schließlich «zahlte man für ihn». Da ich diese gleiche Erfahrung gemacht habe, kann ich mir ohne Mühe vorstellen, wie oft der Stipendiat Albert Camus Grund zu Bitterkeit haben und Aufwallungen des Stolzes empfinden mochte. Denken wir an das tägliche Hin und Her zwischen zwei Welten, Belcourt und Gymnasium, Armenviertel und Schule der Reichen, mühselige Wirklichkeiten und körperlose Euphorie des Wissens ... Aber hüten wir uns zugleich vor einer konformistischen Auslegung: der Mensch, von dem wir hier sprechen, eignet sich nicht dazu. Zu Beginn der Dreißigerjahre dürstet Camus gewiß bereits nach Gerechtigkeit – sozialer Gerechtigkeit und Gerechtigkeit überhaupt – und spielt mit dem Gedanken, der kommunistischen Partei beizutreten. Aber vor allem ist er doch der «fleißige» Gymnasiast, wie es von ihm erwartet wird, und besteht das Abitur ohne Mühe. Physisch ist er ein braungebrannter, sehniger, sportlicher junger Mann von deutlich spanischem Typ (auch moralisch: *mein spanischer Stolz,* bemerkt er launig). Als ernsthafter Gymnasiast will er Philosophie studieren; daneben begeistert er sich für Theater und Fußball; im himmelblau-weißen Trikot spielt er sonntags den Torhüter des «Racing Universitaire». Und an einem dieser Sonntage kommt es zur ersten Tragödie. Schweißgebadet kehrt er von einem hart umstrittenen Treffen heim, erkältet sich, wird krank ... Eine Lungenentzündung, dann Tuberkulose.

Es wäre leicht, sich über den Einfluß der Krankheit auf die Persönlichkeit und das Werk von Albert Camus auszulassen. Camus selbst schreibt dazu im Vorwort zu *L'Envers et l'Endroit (Licht und Schatten)* (Neuausgabe 1958), in jenen Seiten, in denen er so klarsichtig von sich selbst berichtet: *Natürlich fügte diese Krankheit zu den bereits bestehenden Fesseln neue hinzu, und zwar die härtesten. Aber letzten Endes begünstigte sie jene Freiheit des Herzens, jenes unmerkliche Abstandwahren gegenüber den Interessen der Menschen, das mich vor jedem Ressentiment bewahrt hat. Seit ich in Paris lebe, weiß ich, daß dies ein königliches Vorrecht bedeutet. Aber ich habe es rückhaltlos und ohne Gewissensbisse genossen ...*

Ich glaube meinerseits, daß sie eine andere Nützlichkeit besaß: sie lehrte ihn, methodisch zu sein. Ich bin nie einem methodischeren Menschen begegnet als Camus, und mir will scheinen, daß er diese straffe und doch unauffällige Disziplin weitgehend jener Notwendigkeit verdankte, sich in sehr jungen Jahren den geheimen Verpflichtungen der Krankheit zu unterwerfen. Wie dem auch sei, ein anderes Ergebnis der Krankheit steht fest: sie vereitelte die Laufbahn, die Camus vorgesehen hatte. Um das Staatsexamen in Philosophie abzulegen, mußte er sich zweimal ärztlich untersuchen lassen, und beide Male schloß der Untersuchungsbefund ihn von der Teilnahme an der Prüfung aus. So wurde er davor bewahrt, in einem Lehramt im Mutterland zu verkümmern. In dem Alter, da sich nicht nur die Berufung zum Schriftsteller entscheidet, sondern auch die Thematik eines ganzen Werks, sah Camus sich gezwungen, einerseits in Algerien, seinem Heimatland, zu bleiben, und andererseits einen paradoxerweise viel gefährlicheren Broterwerb zu wählen als ein Lehramt, der ihn jedoch ungleich mehr bereichern sollte: den Beruf des Journalisten.

1937 lehnte Camus ein Lehramt am Gymnasium von Sidi-bel-Abbès ab, aber das war im Jahre 1937 und in Algerien. 1933 träumte der Student in Algier noch ganz selbstverständlich von Paris und der École Normale in der Rue d'Ulm. Dafür arbeitete er. Dafür kämpfte er. Jacques Heurgon, ein Kamerad jener Jahre, erzählt, daß damals «gewisse Professoren der philosophisch-historischen Fakultät entdeckten, daß sie einen Studenten von seltenen Gaben vor sich hatten». «Gewisse Professoren», das heißt vor allem Jean Grenier. Camus hat oft und deutlich gesagt, wieviel er Grenier verdankt, er hat es geschrieben und vor allem mit seiner unverbrüchlichen Freundschaft bezeigt. Sie beide, Lehrer und Schüler, finden sich vereint auf dem üblichen Klassenphoto. Obwohl Camus in der

Der Oberschüler

hintersten Reihe steht, fällt er einem sofort auf, denn er ist mit einem anderen zusammen der einzige, der nicht als «Student» posiert, sich nicht mit Mütze, Abzeichen oder kindisch folkloristischem Schlips herausgeputzt hat. Damals findet er sich noch nicht damit ab, daß die Krankheit ihm den Zutritt zum Lehramt verwehren könnte. Er bereitet eine Arbeit über Augustin und Plotin vor. Er liest Epiktet, Pascal, Kierkegaard, Malraux, Gide, Proust, Dostojewski. Und schließlich geht er zwei kurzlebige Verbindungen ein: mit Simone Hue – eine unglückliche Ehe, die 1934 gelöst wird, eine übereilte Heirat, wie ein zugleich sinnlicher und idealistischer junger Mann sie schließen kann –, und mit der kommunistischen Partei, aus der er kaum ein Jahr später wieder austritt. Ministerpräsident Laval hatte bei seinem Moskauer Besuch von Stalin erreicht, daß die französischen Kommunisten ihre Unterstützungspolitik gegenüber den Muselmanen änderten. Das aktive Parteimitglied Albert Camus erhält den Befehl, automatisch auch seine Einstellung zu ändern. Camus weigert sich und verläßt die Partei.

Mit zwanzig Jahren verheiratet und geschieden, durch die Krankheit von der Alma Mater ferngehalten, losgelöst von seiner vermeintlichen politischen Familie, erlaubt Camus sich zudem den Luxus, seine bescheidene Stelle bei der Präfektur zu verlieren. Man wirft ihm vor, seine Berichte seien nicht «in reinem Verwaltungsstil» abgefaßt. Was tun? Warten, die Armut, das Elend auf sich nehmen. «Harte Jahre», sagte ein anderer Zeuge jener Zeit, Emmanuel Roblès. Camus ist allein, er selbst ist sein einziger Reichtum. Er bewohnt am Boulevard Saint-Saens, in der Stadtmitte, «ein kahles Zimmer, dessen Mobiliar nur aus einer langen Truhe besteht, die gleichzeitig als Wäscheschrank und als Bett dient. Bücher stapeln sich auf dem Boden und an den Wänden ...» Ich stelle mir gerne vor, daß Pascal Pia ihn eines Tages gerade in diesem Zimmer aufsuchte, um ihm vorzuschlagen, mit ihm zusammen eine Zeitung zu gründen: «Alger Républicain».

Die Zeit scheint in der Tat günstig zu sein für eine neue Zeitung, die «anders ist als die anderen». Wie das Mutterland ist auch Algerien in Gärung. Léon Blums Volksfront hat die französische Politik in «vorher» und «nachher» aufgespalten wie ein in die Geschichte getriebener Keil. Vorher die auf eine trügerische Prosperität gegründete bürgerliche Ordnung, die in der großen Wirtschaftskrise von 1930 endet; nachher die soziale Gesetzgebung, ein unbändiges Verlangen nach Gerechtigkeit und Wohlergehen für alle. Nur stellen sich diesseits und jenseits des Mittelmeers nicht die genau gleichen Probleme. Im Mutterland kämpft selbst der am schlechtesten entlöhnte Arbeiter um seine Würde; in Algerien geht es für neun Zehntel der Bevölkerung um das Recht auf das nackte Dasein. Ein liberaler Franzose darf es heute schreiben: zwischen 1936 und 1939 wäre der kommende Algerienkrieg beinahe vermieden worden. Aber dazu hätte der Algerienfranzose den Muselmanen als ebenbürtig ansehen müssen, er hätte ihm in der Großzügigkeit der Volksfront die «volle

Beteiligung», die «Integration» gewähren müssen, die er ihm heute so verzweifelt anträgt. Kurzum, er hätte auf Pascal Pia mit seinem «Alger Républicain» und seiner Handvoll klarsichtiger Mitarbeiter hören müssen.

Die Mitarbeiter des «Alger Républicain» waren der offiziellen Politik um ein Vierteljahrhundert voraus und glaubten fest, daß «Papas Algerien» endgültig zum Verschwinden verurteilt sei. Sie waren überzeugt, daß man ein Volk nicht ewig auf seinem eigenen Boden bevormunden kann, nachdem man ihm diesen Boden weggenommen hat, um ihn an Kolonisten zu verteilen. Sie waren überzeugt, daß die unermeßlichen Reichtümer der einen früher oder später von der unermeßlichen Armut der anderen besiegt werden würden. Sie waren überzeugt, daß bei gleicher Arbeit der Lohn des Arabers gleich hoch sein sollte wie der des Europäers und daß der Einwand: «aber er wird sein Geld zum Fenster hinauswerfen» lediglich den Willen vertuschte, diesen Lohn keinesfalls zu erhöhen. Sie waren schließlich überzeugt, daß alle gleichermaßen auf Wohlfahrtsgesetze, Kranken-, Arbeitslosen- und Altersversicherungen, Kinderzulagen usf. Anrecht hatten und daß auch das Araberkind das Recht besaß, zur Schule zu gehen. Und sie empörten sich, wenn ihnen das Generalgouvernement von hoch oben herab antwortete, daß «alles in Ordnung» sei, «wie aus den Wahlen ersichtlich ist». Denn, das muß zugegeben werden, Algerien wählte, wie es sich gehörte. Es stimmte für die reichen Grundbesitzer und die knechtischen, ausgiebig bestochenen Kaids. Es stimmte mit erdrückendem Mehr für den Status quo und die Ungerechtigkeit. Aber am Abend jedes Wahltags wußten sie so gut wie alle Leute, daß auf Befehl des Gouverneurs – der für seine «Geschicklichkeit» berühmt war – ein Streit in der Nähe der Urnen ausbrach: die Urnen wurden umgeworfen und durch andere ersetzt, und in diesem oder jenem Wahlkreis verwandelten sich 78 Prozent Stimmen der Opposition in 90 Prozent Stimmen für die Regierung.

Dies alles wußte und glaubte Pascal Pia, ein seltsamer und sympathischer Koloß mit einem römischen Gesicht, ein großer Kaffeetrinker und Verehrer der Dichtung, ein Exeget von Apollinaire. Camus teilte seine Ansichten. Hatte er nicht während seiner kurzen Mitgliedschaft bei der kommunistischen Partei für eine totale, auch den Muselmanen zustehende Gerechtigkeit gekämpft? Er nahm also die Anstellung als Reporter des «Alger Républicain» voll Begeisterung an. Weder er noch Pia ahnten damals, daß diese Zusammenarbeit über einen Weltkrieg hinweg in Paris weitergeführt werden sollte.

Camus' journalistische Laufbahn beim «Alger Républicain» war von Anfang an in jeder Beziehung von Gefahren bedroht und von Skandal begleitet. Die Zeitung machte dem mächtigen «Echo d'Alger» Konkurrenz, dem zukünftigen Organ der «Ultras», doch war sie arm und mußte sich nach allen Seiten wehren. Um die Spesen möglichst niedrig zu halten, nahm Camus keinerlei Rücksicht auf seine Gesundheit, reiste unter härtesten Bedingungen, verzichtete auf Hotels und bat Gleichgesinnte um ihre Gastfreundschaft. Seine Artikel stachen sogleich scharf von der konformistischen algerischen Presse ab. Ich erwähne hier nur drei: *L'affaire Hodent,* in dem er nachwies, daß ein unglücklicher Bauernknecht zu Unrecht von einem steinreichen Kolonisten des Diebstahls bezichtigt worden war; *L'affaire El-Okby,* in dem er in gleicher Weise die Unschuld eines des Mordes angeklagten Muselmanen bewies; und *L'affaire du La Martinière,* in dem er sich gegen die unmenschlichen Transportbedingungen der nach Guayana verbrachten Sträflinge empörte. *Es geht hier nicht um Mitleid, sondern um etwas völlig anderes. Es gibt nichts Schändlicheres als den Anblick von Menschen, die zur Unmenschlichkeit herabgewürdigt werden.* Schon hier klingt der Ton des «großen» Camus auf. Aber in Algier wird er, wie zu erwarten war, ganz anders beurteilt. Diese Leute, die viele Jahre später seiner Botschaft taub und seinem Ruhm gleichgültig gegenüberstehen und ihn auf dem Forum auspfeifen sollten, fanden fürs erste, «der kleine Albert Camus» mische sich in Dinge, die ihn nichts angingen. Schon 1938 verlangten vereinzelte «empörte» Stimmen seine Ausweisung aus Algerien. Er hält sich nicht an die Spielregeln, er ist unerwünscht. Früher oder später wird ihm «ein Unglück zustoßen».

Mit der beneidenswerten Unbekümmertheit der Jugend fürchtet Camus sich nicht nur vor keinerlei «Unglück», sondern findet zudem, daß seine journalistische Tätigkeit ihn nicht genügend ausfüllt. Er gibt seiner Neigung für das Theater nach und verbringt seine Freizeit damit, Theater zu spielen und eine Truppe ins Leben zu rufen. Diese Truppe nennt sich «L'Equipe» und folgte in ihren Grundsätzen Jacques Copeau und dem «Théâtre du Vieux Colombier». Wenig Kulissen; Schauspieler und Text sind die Hauptsache. Camus spielt dabei wirklich alle Rollen: Autor, Schauspieler, Regisseur, Bühnenarbeiter, Souffleur. Die Aufführungen finden im Freien statt oder in kleinen Vereinssälen. Das Programm umfaßt «La Célestine» von Rojas, «Le Paquebot Tenacity» von Vildrac, «L'Article 330» von Courteline, «Der Held des Westerlands» von Synge, «Le Retour de l'Enfant prodigue» von Gide (wobei Camus sich für die Darstellung des endgültigen Übertritts des zweitgeborenen Sohnes in die Freiheit und das Leben eine «sehr hohe und sehr schmale» Pforte ausdenkt) und schließlich «Die Brüder Karamasow», worin er den Iwan spielt. Diese Karamasow-Aufführung bildet den Höhepunkt im Wirken der kleinen Truppe, und schon jetzt denkt Camus daran, «Die Dämonen» zu bearbeiten. Er kann nicht mehr an seiner Berufung zum Schriftsteller zweifeln und er weiß, daß der Journalismus allein ihm nicht zu genügen vermag. Er zweifelt auch nicht mehr an dem algerischen Rahmen, in den sein literarisches Werk sich unvermeidlich gestellt sieht.

Ja, in diesen harten, gefährlichen, ungeduldigen Jahren der Jugend, in diesen schönen Jahren ist alles möglich: nicht nur die Entstehung einer rassenverbindenden Gemeinschaft, die aus Algerien mit seiner bevorzugten geographischen Lage als Angelpunkt zweier Kontinente die Heimat einer mustergültigen Verbrüderung machen

Algerische Küstenlandschaft

könnte, sondern auch — innerhalb dieser stolzesten aller ethnischen Gruppen — das Erwachen einer echten Eigenpersönlichkeit. Die Algerienfranzosen sind größer, als sie meinen: nur liegt ihre Größe nicht dort, wo sie sie suchen. Ein paar Schriftsteller wie Jean Grenier, Claude de Freminville (der zugleich Drucker ist), René Jean-Clot (der zugleich Maler ist) und vor allem Gabriel Audisio, der Verfasser von «Jeunesse de la Méditerranée» und «Sel de la Mer», haben begriffen, daß dieses Volk von kleinen Leuten «ohne Tradition, aber nicht ohne Poesie», sein Wort mitzureden hat, daß es eine Botschaft bringt. Ist es nicht hundert Jahre nach der Eroberung an der Zeit, diese Botschaft an den Tag zu fördern, aus einem militärischen Zufall eine Zivilisation zu machen, den Pionieren des Geistes vor den Pionieren des Bodens den Vortritt zu geben? Gewiß, noch ist das Unternehmen nur verschwommen umrissen, noch beschränkt es sich auf Worte wie *Jugend, Meer, Sonne,* an denen man sich berauscht. Und doch spürt man, daß diese Worte hier einen tieferen Sinn haben als sonstwo. Wird es eines Tages gelingen, ihnen Wirklichkeitswert zu verleihen? Jugend, Meer, Sonne — schließlich ertönten diese Worte schon vor Jahrtausenden in Griechenland am Anfang eines der großartigsten Abenteuer der Menschheit. An dieses Abenteuer glauben die ersten Vertreter der «Algerischen Schule» mit Leib und Seele. Um es neu nachzuerleben, haben sie auch bereits das Wichtigste gefunden, nämlich einen Mäzen. Er heißt Charlot, er ist Buchhändler, wird Verleger und läßt alles kunterbunt erscheinen: Flugblätter, Gedichtbändchen, Manifeste, und auch eine Zeitschrift, «Rivages», die von Audisio geleitet wird. Alle, die «suchen», alle, die spüren, daß «sich etwas ereignen wird», und die mehr oder weniger unbeholfen die mediterrane lyrische Stimmung auszudrücken trachten, die ihre Gegenwart so deutlich spüren, ohne sie noch richtig deuten zu können — sie alle finden sich jeden Abend bei Charlot zusammen, wenn die Bewohner von Algier sich zum Apéritif setzen. Und an einem dieser Abende wird, wie vorauszusehen war, auch Camus eingeführt. Ein historischer Abend: zu den Gefährten des Odysseus hat sich Odysseus selbst gestellt. Denn er, Camus, hat gefunden. In seiner eigenen Odyssee, in den Wechselfällen seines Lebens, in seiner Freude und seinem Zorn, in den Linien seiner heimatlichen Landschaft und im Elend seines Stadtviertels hat er, wenn nicht die endgültige Deutung, so doch Sinn und Richtung seines Denkens und seines Werks gefunden.

Jugend, Meer, Sonne … Fügen wir die Geschichte hinzu und den Tod. Und halten wir in diesem Augenblick inne, da Camus seine erste Rast hält: der Fünfundzwanzigjährige, der seinem Himmel und seinem Geschick gegenübersteht.

Blendend erhob sich ein flüssiger Morgen über dem reinen Meer. Der augenfrische Himmel, von den Wassern unendlich oft gewaschen, von dieser immer wiederholten Wäsche bis auf sein dünnstes, hellstes Gewebe abgewetzt, sandte ein zitterndes Licht herab, das jedem Haus, jedem Baum einen spürbaren Umriß, eine staunende Neuheit verlieh. Gewiß ist die Erde am Morgen der Welt in einem solchen Licht erstanden. (5)

Was Camus' Werk zugrunde liegt, kann nur von ihm selbst ausgedrückt werden. Es rührt an etwas Unsagbares, über das er allein Herr ist. Es verrät den Schock, den jeder Mensch in Algerien empfängt: ein Geblendetsein.

Man denkt unwillkürlich an ein von den Göttern gesegnetes Land, und auch Camus hat sich von dieser Formulierung verführen lassen: *Im Frühling wohnen in Tipasa die Götter, und die Götter sprechen in der Sonne und dem Duft des Wermuts ...*, aber sogleich berichtigt er: *Wie arm sind die Menschen, die Mythen nötig haben ... Was brauche ich Dionysos zu erwähnen, um zu sagen, daß ich es liebe, die Kugeln der Mastixbäume unter meiner Nase zu zerreiben?* (6)

Denn in Algerien gibt es keine Götter. Die algerische Natur scheint sich selbst zu genügen; sie verdankt dies vielleicht der Lage des Landes zwischen zwei menschenleeren Unendlichkeiten: der Sahara und der See. Die Götter sind abwesend. Richtiger: Gott ist abwesend. Denn so wenig wie Camus lassen wir uns durch die Frömmigkeit der bunten Perlen täuschen, die auf den algerischen Friedhöfen dahinfaulen: hier existiert nur die Freude im Jetzt, die von aller Metaphysik befreit. Sobald der kurze Winter zu Ende geht, kennen die Männer und Frauen der Städte nur das eine Verlangen, an den Strand zu eilen und sich nackt der Sonne darzubieten. *An Algier ist das liebenswert, wovon jedermann zehrt: das an jeder Straßenbiegung auftauchende Meer ...* Als Hauptstadt des Augenblicks ist Algier das eigentliche Tor zu Afrika, zu dem unermeßlichen schwarzen Kontinent. Je tiefer man in ihn eindringt, desto deutlicher wird man sich voll Bestürzung bewußt, daß die Zukunft keinen Sinn hat, und zwar so sehr, daß die Eingeborenen den Missionar verständnislos anschauen, wenn er ihnen von einem «zukünftigen Leben» spricht. *Man muß ohne Zweifel lange in Algier leben, um zu begreifen, wie sehr das Übermaß an natürlichen Gütern einen ausdorren kann. Hier gibt es nichts, das lernen, sich fortbilden und besserwerden wollte.* Und ein paar Zeilen weiter: *Die Menschen finden hier ihre ganze Jugend hindurch ein ihrer Schönheit angemessenes Leben. Und dann kommt der Abstieg, das Vergessen. Sie hatten auf den Leib gesetzt und sie wußten, daß sie verlieren würden ... Wer seine Jugend verloren hat, besitzt in Algier nichts, woran er sich halten, keinen Ort, wo die Schwermut sich vor sich selbst retten könnte.* (7)

Der Augenblick, das Vorläufige: die am Himmel in der Schwebe gehaltene Mittagsstunde. *Was bedeuten hier Worte wie Zukunft, größeres Wohlergehen, Stellung?* Muß man sich nicht vielmehr dem Augenblick überlassen, in ihn hineingleiten, in ihn eintauchen, wie man ins Meer eintaucht? *Gewaltiges Meer, immer durchfurcht, immer unberührt, mein Glaube, du und die Nacht!* Was ist das Meer? Proudhon gibt Camus die Antwort ein, sagt sie ihm immer wieder vor: es ist die Freiheit. «Freier Mensch, allezeit wirst du das Meer lieben!» sagte auch Baudelaire. Hören wir, wie der Dichter Camus die Hymne

Tipasa: das Baptisterium der Kathedrale

auf das Meer und die Freiheit anstimmt, wie er das fröhliche Verschlungenwerden besingt:

Ich muß nackt sein und noch ganz von den Essenzen der Erde durchduftet ins Meer tauchen, sie in ihm waschen und auf meiner Haut die Umarmung vollziehen, nach der Erde und Meer, Lippe an Lippe, seit so langer Zeit lechzen. Bei der Berührung mit dem Wasser das durchdringende Erschauern, das Aufsteigen eines kalten, undurchsichtigen Leims, dann das Eintauchen, das Ohrensausen, die triefende Nase, der bittere Mund — Schwimmen, die wasserglänzenden Arme erheben sich aus dem Meer, um sich in der Sonne zu bräunen, und tauchen mit einer Drehung aller Muskeln wieder ein; das Rieseln des Wassers über meinen Leib, meine Beine im wildschäumenden Besitz der Wellen — und das Fehlen eines Horizonts. Am Ufer das sich in den Sand Fallenlassen, der Welt hingegeben, in meine Schwere aus Fleisch und Knochen zurückgekehrt, von der Sonne betäubt, hie und da ein Blick auf meine Arme, wo die Pfützen trockener Haut nach dem Abgleiten des Wassers den blonden Flaum und den salzigen Staub bloßlegen. (8)

Tipasa ist eine in Trümmern liegende römische Stadt, an die sich Fischerdörfer längs der algerischen Küste angegliedert haben. Ein Weg führt durch die Ruinen; kieferfarbene Säulen ragen hier an Stelle der Eukalyptusbäume; zwischen den Sarkophagen wachsen Tamarisken und Wermutsträucher. Camus besuchte diesen Ort häufig, blieb aber nie länger als einen Tag dort, weil er schon früh das Bedürfnis nach Maß in sich trug, das die Weisheit der Mittelmeerländer ihn bereits gelehrt hatte und das ihm gebot, seine Freuden nicht zu verschleudern. Was er in dieser Landschaft suchte, hat er unverhohlen bekannt: vor allen Dingen die Freude, die bloße Lebensfreude. Denn *man braucht sich nicht zu schämen, glücklich zu sein, und ich nenne den einen Dummkopf, der vor dem Genießen Angst hat.* Anfänglich ist alles Wollust: *Wieviel Stunden habe ich damit verbracht, Wermut zu zerreiben, Ruinen zu streicheln und zu versuchen, meinen Pulsschlag mit dem wilden Atmen der Welt in Einklang zu bringen!* Hier erkennt Camus zum ersten Mal: *Mein ganzes Reich ist von dieser Welt,* einer Welt, der er sich *nie genug wird annähern können.*

Hier verstehe ich, was man Herrlichkeit nennt: das Recht, ohne Maß zu lieben. Es gibt nur eine einzige Liebe auf dieser Welt. Wenn man den Körper einer Frau umarmt, umfängt man zugleich jene seltsame Freude, die vom Himmel zum Meer herabsteigt. Wenn ich mich gleich in die Wermutsträucher werfen werde, um meinen Körper von ihrem Duft durchdringen zu lassen, werde ich wissen, daß ich allen Vorurteilen zum Trotz eine Wahrheit vollbringe, die die Wahrheit der Sonne ist und auch die Wahrheit meines Todes sein wird. In gewissem Sinn spiele ich hier wirklich um mein Leben, ein nach heißem Stein schmeckendes Leben, erfüllt vom Rauschen des Meers und dem Lärmen der Zikaden, die eben zu schnarren beginnen. Der Lufthauch ist kühl und der Himmel blau. Ich liebe dieses Leben hingebungsvoll und will frei davon sprechen: es schenkt mir den Stolz meines Menschseins. Dabei ist mir oft gesagt worden: es besteht kein Grund, stolz zu sein. Doch, es besteht ein Grund: diese Sonne, dieses Meer, mein von Jugend überquellendes Herz, mein nach Salz schmeckender Körper und die Unendlichkeit der Landschaft, wo Zärtlichkeit und Herrlichkeit sich im Gelb und im Blau begegnen. Dies zu erobern, muß ich meine Kraft und meine Fähigkeiten einsetzen. Hier läßt mich alles unversehrt, ich vergebe mir nichts, ich trage keinerlei Maske: es genügt mir, geduldig die schwierige Wissenschaft des Lebens zu erlernen, die wohl so viel wert ist wie jede Lebensregel. (9)

«Wissenschaft des Lebens», so könnte dieser Abschnitt heißen; doch bemerken wir wenige Zeilen vorher einen ganz anderen, tragischen und widersprüchlichen Akkord, der die Worte Tod und Sonne merkwürdig verknüpft. Sicher wollte Camus nur einer Gewißheit Ausdruck geben. Gleichviel: die aufschlußreichen Worte sind unwillkürlich nacheinander aus seiner Feder geflossen. Während er vom Leben spricht, von der Jugend, dem Menschsein, tritt als ganz natürlicher Gefährte unvermittelt der Tod auf, wenn er an die Sonne denkt.

Wie soll man der Vielfalt der Völker, die Camus' Botschaft empfangen, das Treffende dieses Zusammenklangs deutlich machen? Nördlich einer gewissen winterlichen Linie von Regen, Wind und Kälte spricht die Sonne einzig vom Leben: «Mehr Licht!» Aber je weiter wir nach Süden vorstoßen, desto häufiger begegnen wir dem Tod, desto gegenwärtiger harrt er an jeder Wegbiegung, erschreckend und vertraut, als werde er eins mit dem Flammenrad, das sich am Himmel dreht. «Einswerden», sage ich und versichere, daß ich nicht übertreibe. Einmal bin ich ins Herz Afrikas vorgestoßen; mit der raffenden Schnelligkeit des Flugzeugs machte ich die verblüffende Reise, die nicht, wie man gemeinhin annimmt, durch den Raum führt, sondern vom mittelalterlichen Sudan zum prähistorischen Ubangi durch die Zeit. Als ich dort unten die nackten, schwarzen, seit Menschengedenken mit Mißbildungen behafteten Gestalten sah, wie sie auf dem roten Boden kauerten und geduldig an Faustkeilen schabten, weniger Höhlenmenschen als dantesken Verdammten vergleichbar, als ich diese blinden, hoffnungslosen, von der Sonne ermordeten Gestalten sah, hatte ich das Gefühl, endlich den Tod an seinem Herdfeuer zu betrachten. Ja, Afrika ist die eigentliche Wohnung des Todes: in ihrem ganzen Urgrauen, als unerträgliches Auge in einem wie flüssiges Quecksilber weißglühenden Himmel, hat die Sonne aufgehört, zu lügen. Sie ist kein «Gestirn des Lebens» mehr, das unsere Fjorde und unsere Gemüsegärten erwärmt, sie ist der Tod. Aber muß man so weit gehen, um diese Entdeckung zu machen? In allen «heißen Ländern» erhebt sich der Tod zu unserem Cicerone, er herrscht in Mexiko, in Spanien, in Italien, er gebietet über Sevilla wie über Neapel. 1937 machte Camus dank einer Fahrpreisvergünstigung eine Reise nach Florenz. Durch den Essay, den er heimbrachte, geistern die Friedhöfe. Und wie sollte man in Fiesole,

Tipasa

mitten im prangenden Sommer, den Totenkopf vergessen, der in der Zelle jedes Franziskaners auf dem Tisch steht?

Die Sonne lehrte Camus seine Sterblichkeit. Sie lehrte ihn, daß er früher oder später zu diesem *scheußlichen, schmutzigen Abenteuer* verurteilt war, gegen das er sich mit seinem ganzen Wesen empörte. *Ich sagte nein. Ich sagte nein mit all meiner Kraft. Zwecklose Auflehnung, denn, wie die Grabsteine uns belehren, vergeht das Leben «col sol levante col sol cadente». Aber noch heute sehe ich nicht ein, wie das Zwecklose meine Empörung herabmindern soll, und fühle genau, wie es sie bereichert.* (10)

Aber die Sonne lehrte ihn auch eine andere Wahrheit, die ihn gegen den Strom der Schriftsteller seiner Generation schwimmen ließ und seinem Werk Größe verlieh.

Gegen Abend, nach den langen Spaziergängen über den Strand von Tipasa oder durch die Hügel der Umgebung *(ich lernte zu atmen, ich ordnete mich ein und erfüllte mich),* begab Camus sich in einen öffentlichen Garten. Wenn er dann *nach dem Aufruhr der Düfte und der Sonne das Land mit dem Tag sich runden* sah, betrachtete er wohl trotz der Freude, sein *Menschenwerk* geübt, *seine Rolle gut gespielt,* also wie ein Schauspieler *eine vorgebildete Form mit seinem eigenen Herzen zu pulsierendem Leben erweckt* zu haben, die seltsamen Widersprüche der Sonne und der See. Leben, Tod — eine nur scheinbar gebrochene Linie, in Wirklichkeit jedoch eine Kontinuität. Es war eine höhere, schreckliche und geheimnisvolle Kontinuität, in der er das All umfassend restlos aufging und aus der er doch eines Tages ausgeschlossen und verstoßen würde. Und dann war da noch ein zweites Rätsel. In Tipasa konnte er gewiß an den *Festen der Erde und der Schönheit teilnehmen,* sich an erhabener Tragik berauschen, den *Einklang der Erde und des vom Menschlichen befreiten Menschen — ach, ich würde mich zu diesem Glauben bekehren, wenn es nicht bereits der meine wäre!* — zutiefst in sich verspüren, so daß er versucht war, jedes andere Bemühen zu leugnen, selbst das der künstlerischen Schöpfung *(Was vollbringen? ... O bitteres Bett, fürstliches Lager, die Krone liegt auf dem Grund des Wassers!).* Doch wußte er genau, daß der Tag zu Ende war. Und er mußte ganz einfach nach Hause gehen, in die Stadt zurückkehren, «die noch feuchte Badehose um die Faust gerollt», wie seine Freunde erzählen, in das Armenviertel zurückkehren, Wachstuch und Lampe wiederfinden und sich gewissermaßen in eine andere Ordnung von Raum und Zeit einfügen. *Ankleiden, Straßenbahn, vier Stunden Büro oder Fabrik, Mittagessen, Straßenbahn, vier Stunden Arbeit, Essen, Schlafen, und Montag Dienstag Mittwoch Donnerstag Freitag und Samstag immer im gleichen Rhythmus.* Mit einem Wort, er mußte ins Elend zurückkehren.

Das Elend — ein Schlüsselwort in Camus' Werk, ein wesentliches Wort, genährt von seinen Erinnerungen und Erfahrungen, ein schreckliches Wort, das er nach und nach zu seiner vollen Bedeutung weitete. Nicht daß es ihn selber übermäßig gestört hätte. Alle, die Camus kannten, wissen, wie wenig Bedeutung er den Gütern dieser Welt beimaß. Er gehörte zu den Menschen, denen sie «durch die Finger rinnen», wie man zu sagen pflegt. Er hat sich ohne Großsprecherei im Vorwort zu *L'Envers et l'Endroit* dazu geäußert: *Ich begegne manchmal Leuten, deren Reichtum so groß ist, daß ich ihn mir nicht einmal vorzustellen vermag. Und doch muß ich mich anstrengen, um zu verstehen, daß man ein solches Vermögen voll Mißgunst betrachten kann ... Damals erkannte ich eine Wahrheit, die mich seither immer bewogen hat, die Zeichen des Wohlstands oder der Wohlbestalltheit mit Ironie, Ungeduld und zuweilen mit Grimm zu vermerken ... Ich verstehe es nicht, zu besitzen ... Ich geize mit jener Freiheit, die verloren geht, sobald der Überfluß an Gütern beginnt. ... Ich liebe das kahle Haus der Araber oder der Spanier. Der Ort, an dem ich am liebsten lebe und arbeite (und wo es mir im Gegensatz zu den meisten Menschen sogar gleich wäre, zu sterben), ist das Hotelzimmer.*

Jedenfalls wird deutlich, daß Camus das Wort Elend zwar nicht auf sich selbst anwandte, daß er es aber auch nicht in eine enge Bedeutung einschloß. Für ihn war das Elend ein Zeichen: das Zeichen der Conditio humana, das Zeichen seines Kampfs gegen die Unterdrükkung, gegen die Ungerechtigkeit, das Zeichen der Tatsachen, mit einem Wort, die Geschichte.

Mit der Geschichte kann man nicht mogeln. Denn die Geschichte ist eine Wirklichkeit: sie wird von diesem jungen Arbeiter mit pomadisiertem Haar verkörpert oder von jener einsamen alten Frau unter der Lampe. Sie ist ebenso wirklich und wichtig wie die Fortdauer der Elemente. Die Geschichte ist *das verzweifelte Bemühen der Menschen, ihren hellsichtigsten Träumen Gestalt zu verleihen.* (11) Das Jahrhundert hat in ihr seine höhere Forderung erkannt. Sie ist hart, unerbittlich, ausschließlich; sagte nicht schon Goethe, daß Iphigeniens Unglück ihn nicht kümmerte, wenn die Weimarer Weber Hungers starben? Es gilt, eine Wahl zu treffen. Von einem gewissen Grad der Wirksamkeit an – und was darunter liegt, kann nicht ernst genommen werden – ist es nicht möglich, gleichzeitig Dichter und Kämpfer zu sein.

Camus' Genie bestand im Gegenteil darin, uns zu lehren, daß es keine Wahl zu treffen gilt, genauer gesagt, daß in jedem Menschen ein Teil Ewigkeit und ein Teil Geschichte wohnt. Beide sind deutlich verschieden und unversöhnlich, beide verlangen nach ihrer vollen Verwirklichung. Andernfalls kommt es zu einer Verstümmelung: so haben sich neun von zehn französischen Schriftstellern zwischen 1940 und 1960 verstümmelt, so verstümmeln sich noch heute Schriftsteller in allen Ländern, indem sie entweder im l'art pour l'art erstarren oder sich einzig der Wirksamkeit verschreiben.

Camus gelangte natürlich auf dem Weg des «Erkenne dich selbst» zu diesem Schluß. Er ermaß schon bald, wieviel Reichtum sein Elend barg. Zunächst erstaunt: *Ich lebte in beschränkten Verhältnissen, aber auch in einer Art Genuß;* dann analysierend: *Nicht die Armut stellte sich meinen Kräften als Hindernis entgegen: in Afrika kosten Meer und Sonne nichts;* erklärend: *Die Armut, um zuerst von ihr zu sprechen, habe ich nie als Unglück empfunden, denn das Licht breitete seine Schätze über sie aus;* und abschließend: *Die äußerste Armut trifft sich zuletzt immer mit dem Luxus und dem Reichtum der Welt ... In der Armut liegt eine Einsamkeit, aber es ist die Einsamkeit, die jedem Ding seinen Wert verleiht.* (12) Es war nicht schwer, sich damit zu begnügen, den Armen zu spielen, der mit seinem Los

zufrieden ist, und kurzerhand zu erklären, da alle Armen vom gleichen Schlag seien, sei in der besten aller Welten alles zum besten bestellt. Aber Camus ging dieser Spielart der Krämermoral nicht in die Falle, dazu war er zu klarsichtig, dazu hatte er zu deutliche Beweise vor Augen. *Die Armut befähigt viel eher zu einem wortlosen Tod als zu der für das Glück erforderlichen Bereitschaft* und *Fünfzehntausend Francs im Monat, ein Leben in der Werkstatt, und Tristan hat Isolde nichts mehr zu sagen.* Damit Tristan etwas zu sagen hat — es ist entscheidend, es geht um die Liebe, die ganze Welt steht auf dem Spiel —, müssen also die notwendigen Bedingungen geschaffen werden. Man muß in die Geschichte eingreifen. *Man entgeht ihr nicht,* man steckt *bis über die Ohren* drin, aber selbst in der Geschichte kann man *kämpfen wollen, um den Teil des Menschen zu bewahren, der ihr nicht gehört;* denn *es gibt die Geschichte und es gibt etwas anderes, das einfache Glück, die leidenschaftliche Anteilnahme an allem Lebenden, die natürliche Schönheit,* lauter *Wurzeln, von denen die Geschichte nichts weiß.* (13)

Selbst meine Auflehnung wurde davon erhellt. Es war beinahe immer — ich glaube es in aller Aufrichtigkeit sagen zu dürfen — eine Auflehnung im Namen aller Menschen, damit das Leben aller Menschen ins Licht erhoben werde. Es ist nicht sicher, daß mein Herz von Natur aus zu dieser Art Liebe neigte. Aber die Umstände kamen mir zu Hilfe. Um einer angeborenen Gleichgültigkeit die Waage zu halten, wurde ich halbwegs zwischen das Elend und die Sonne gestellt. Das Elend hinderte mich, zu glauben, daß alles unter der Sonne und in der Geschichte gut sei; die Sonne lehrte mich, daß die Geschichte nicht alles ist. Das Leben ändern, ja, nicht aber die Welt, die ich zu meiner Gottheit machte. So kam es wohl, daß ich die unbequeme Laufbahn einschlug, die die meine ist, und voll Unschuld das hohe Seil betrat, auf dem ich mühsam vorwärtsschreite, ungewiß, ob ich das Ziel erreichen werde. Mit anderen Worten: ich wurde Künstler, wenn es denn wahr ist, daß es keine Kunst gibt ohne ein Ablehnen und ein Bejahen. (14)

Beinahe zwanzig Jahre nachdem Camus Tipasa besungen hatte, kehrte er in die Ruinenstadt zurück. Ein Krieg war über sie hinweggegangen und hatte seine sinnlosen Male hinterlassen: Stacheldraht, Verbotstafel, Wachen in Uniform. Dieser Wandel erschien ihm wie das Symbol der eben durchlebten Zeit. Die Geschichte war einen Schritt weitergegangen, er hatte sich daran beteiligt, und doch stand er nun diesen Steinen, diesen Gräbern, diesem Strand und diesem Meer in der Treue zu jener doppelten Wahrheit gegenüber, die er an diesem Ort gelehrt worden war. Die Geschichte, die Sonne — ja, er hatte beiden seinen Tribut entrichtet. *Ich habe das Licht, in dem ich geboren wurde, nicht verleugnen können, aber gleichzeitig wollte ich auch den Verpflichtungen unserer Zeit nicht aus dem Wege gehen.* Er war seinen Weg ohne Vorbehalt und klaren Geistes gegangen, er hatte sich ohne Vorbehalt und klaren Geistes diesen beiden Kräften geweiht, *sogar und vor allem, wenn sie im Widerspruch zu stehen schienen.* Er war dem Weg, der *von den Hügeln des Geistes zu den Hauptstädten des Verbrechens führt,* in beiden Richtungen gefolgt. Er war *weder auf den Hügeln eingeschlafen noch im Verbrechen heimisch geworden.* Er hatte einer doppelten Erinnerung die Treue bewahrt: *der Schönheit, den Erniedrigten.* Und von einem war er immer fester überzeugt: *Wenn man einen Teil des Seienden ablehnt, lehnt man für sich selbst das Sein ab. Man findet sich bereit, aus zweiter Hand zu leben.* (15)

Doppelte Wahrheit, doppelte Kraft, doppelte Erinnerung: darin lag die ganze menschliche Harmonie beschlossen, die der junge Albert Camus der Lehre von Sonne und Meer abgewonnen hatte. So schritt er vorwärts, an der Schwelle seines Werks und seiner Laufbahn, ein Künstler, gewiß, doch vor allen Dingen ein ganzer Mensch, der gleichzeitig in seiner vergänglichen Zeit und in allen anderen Zeiten lebte, der fähig war, das Ewige auszudrücken und doch von Tag zu Tag in der Geschichte mitzuwirken. Nur knirschte in diesem Räderwerk ein Sandkorn. Eine Kleinigkeit fehlt zur Harmonie: es gibt keinen Gott. Und da es keinen Gott gibt, und da diese Welt weder Entstehung noch Ende kennt, keinen Plan und kein Ziel, da kein höherer Wille sie belebt, da die Ewigkeit leer ist – nun, so denkt und handelt, wie ihr wollt: keines eurer nichtigen Geräusche wird je so ohrenbetäubend sein, daß ihr nicht das Knirschen des Sandkorns hörtet. Bis ihr es erkennt, es zugebt und es benennt.

Dieses Sandkorn – aber nein, es ist kein Sandkorn, es ist der Motor selber, es heißt: das Absurde.

DAS ABSURDE

Der Henker erdrosselte den Kardinal Caraffa mit einer Seidenschnur, die zerriß: er mußte sein Werk ein zweites Mal beginnen. Der Kardinal blickte den Henker an, ohne ihn eines Wortes zu würdigen.

(Stendhal: «La Duchesse de Palliano», von Camus *Noces* als Motto vorangestellt.)

Der 2. September 1939 hätte für Albert Camus ein großer Tag werden sollen, denn an diesem Tag sollte er ein Schiff besteigen und Griechenland, dem Land seiner Sehnsucht, entgegenfahren. Das behauptete wenigstens eine Schiffskarte, die er seit langem erstanden hatte und sorgfältig in seiner Brieftasche aufbewahrte.

Am 2. September 1939 gab es keinen Aufbruch nach Griechenland, sondern eine Aufforderung an die Mitarbeiter der Zeitung, sich unverzüglich im Generalgouvernement einzufinden, um die eben erlassenen Richtlinien der «Zensur in Kriegszeiten» entgegenzunehmen. Camus gehorchte der Einladung höchst widerwillig, denn das ging ihn nichts an, hatte er doch die Absicht, sich als Freiwilliger zu melden. Indessen hatte er die Rechnung ohne seine Krankheit gemacht: wiederum wurde er als untauglich zurückgewiesen.

Der Krieg hat manchmal gewisse Vorteile. Er erlaubt zum Beispiel den Machthabern, gewisse aufrührerische Geister kleinzukriegen und sich für ihre Haltung in Friedenszeiten zu rächen. Schon gleich zu Beginn dieses Krieges wurde deutlich, daß der «Alger Républicain» seine liberale Politik teuer würde bezahlen müssen. Die Zeitung hatte Pech, wenn man so sagen darf, hatte sie doch kaum ein paar Monate vor Kriegsausbruch eine mit «A. Camus» gezeichnete Artikelreihe veröffentlicht, die unter dem Titel *Reportage aus Kabylien* das Elend, den Hunger und die Rückständigkeit dieser algerischen Provinz anprangerte.

Frühmorgens sah ich eines Tages in Tizi-Ouzou in Lumpen gekleidete Kinder sich mit Hunden um den Inhalt eines Mülleimers balgen. Auf meine Fragen antwortete ein Kabyle: «Das ist jeden Morgen so!» — In der Gegend von Djemaà-Saridj erhalten die Männer (die Araber) acht bis zehn Francs und die Frauen fünf Francs am Tag ... (Zu jener Zeit erhielt ein französischer Arbeiter im Durchschnitt sechzig Francs für einen Achtstundentag. Dazu kamen die Sozialleistungen, derer die Araber nicht teilhaftig sind.) *In der Gegend von Michelet beträgt der Durchschnittslohn eines Landarbeiters für zehn Stunden Arbeit fünf Francs und die Nahrung. Aber von diesem Geld werden ohne vorherige Mitteilung an die Betroffenen die rückständigen Steuern zurückbehalten. Diese Abzüge machen zuweilen den gesamten Lohn aus ... Neunhunderttausend Eingeborenenkinder können gegenwärtig keine Schule besuchen.*

Ein solches Zeugnis, das sich so ausschließlich auf Tatsachen und Zahlen stützte, mußte natürlich in den höheren Sphären der Verwaltung ein schmerzliches Echo finden. Denn bisher war man dort das behagliche Schnurren der offiziellen Presse gewöhnt («Der fatalistische, so malerische Bauer Kabyliens ...»); in seiner Schlußfolgerung lehnte Camus die Almosen ab (eine mildtätige Dame hatte einem ganzen Dorf ein paar Liter Korn gespendet), forderte Gerechtigkeit und zögerte nicht – o Lästerung! – als Vorbild ein kabylisches Dorf anzuführen, das die Erlaubnis erhalten hatte, sich selbst zu verwalten, und dem ungesäumt gelungen war, was das Generalgouvernement nicht fertiggebracht hatte. Der ganze «Ton» dieser Reportage mußte in offiziellen Ohren unerträglich klingen. *Es ist schändlich, zu behaupten, das kabylische Volk verstehe es, sich dem Elend «anzupassen» ... Es ist schändlich, zu behaupten dieses Volk habe nicht die gleichen Bedürfnisse wie wir. Seltsam, wie die guten Eigenschaften eines Volkes dazu dienen können, die ihm auferlegte Erniedrigung zu rechtfertigen, und wie die sprichwörtliche Anspruchslosigkeit des kabylischen Bauern dazu herhalten muß, den ihn unterhöhlenden Hunger zu rechtfertigen.*

Bereits am 3. September schlugen zwei Militärzensoren, «zwei Kavalleriehauptleute, die weder ihren Hochmut noch ihre Feindseligkeit zu verstecken suchten» (Emmanuel Roblès), ihr Dauerquartier in der Redaktion auf. Das erbitterte Camus: er war zwar völlig einverstanden, daß militärische Geheimnisse verschwiegen werden mußten, wollte aber nicht hinnehmen, daß man einen Krieg gegen die Diktatur dazu benützte, im eigenen Land eine Diktatur zu errichten. Das Ergebnis war vorauszusehen. Wie ein französisches Sprichwort sagt, spielte sich der Kampf «zwischen einem irdenen und einem eisernen Topf» ab. Eines schönen Tages ergriff das Generalgouvernement die «Maßnahme, die sich aufdrängte». «Albert Camus, sechsundzwanzig Jahre alt, von Beruf Journalist» erhielt einen Ausweisungsbefehl. Ausweisung aus Algier, was praktisch einer Ausweisung aus Algerien gleichkam, denn wo immer er hinging, würde ihm in Zukunft in seiner Heimat die Arbeit verweigert werden.

Das war ein harter Schlag. Es braucht nicht besonders betont zu werden, daß Camus kein Geld besaß. Außer seinen Freunden in Algier kannte ihn niemand. Und zudem hatte er Familienpflichten: er hatte sich soeben mit Francine Faure verheiratet.

Wiederum stellte sich die Frage: was tun? Pascal Pia, der Freund, handelte. Auf seinen Rat fuhr Camus nach Frankreich und meldete sich mit seiner Empfehlung auf der Redaktion von «Paris-Soir», wo er als Reporter angestellt wurde. Das war im Frühling 1940, jenem Frühling des «Drôle de guerre», der sich bewegungslos auf die Verteidigung der Maginot-Linie beschränkte. Camus hat mir nie von jenem kurzen Abschnitt in seinem Leben erzählt, da er Paris entdeckte, die Hauptstadt, die eine Galgenfrist genoß, wo man allen Ernstes zu glauben anfing, der Krieg werde ohne Blutvergießen zu Ende gehen (Polen und Norwegen waren so weit weg!), und sich von optimistischen Phrasen einlullen ließ: «Wir werden siegen, weil wir die Stärkeren sind.» Das Erwachen war grausam. Einmarsch in Holland, in Belgien, Durchbruch bei Sedan ... Die schmucken «Kriegskorrespondenten» in ihren Phantasieuniformen hörten auf, ihren Lesern das moralische Rückgrat zu stärken. Ein ganzes Volk brach auf, zog über die Landstraßen, wurde von den Flugzeugen niedergemäht, drängte sich auf den Loire-Brücken, die zur Unzeit in die Luft gesprengt wurden. Die Pariser Zeitungen «verlegten sich ins Innere»; «Paris-Soir» zog sich mit seinen Redakteuren, unter denen sich auch Camus befand, nach Clermont-Ferrand in die Auvergne zurück. Camus hatte kaum Zeit gehabt, Paris kennenzulernen, und schon ging er einem neuen Abenteuer entgegen. In seinem Gepäck befand sich eine Tasche und darin ein Manuskript: *L'Étranger (Der Fremde)*, sein erster Roman. In den ersten Maitagen, sechsunddreißig Stunden vor der Schlacht, war er fertig geworden.

Nun begannen die vier Jahre, während derer das vorübergehend siegreiche Deutschland Frankreich besetzt hielt, und die Besten unter uns gleichzeitig so glücklich und so unglücklich waren; unglücklich wegen der Niederlage, glücklich, weil sie schon einen Sieg verhieß. Die Diktatoren vernehmen keine Stimmen, sonst wüßten sie, daß in Wahrheit jeder Sieg die Niederlage in sich trägt. Auf jeden Sieg folgt unverzüglich ein fragwürdiges Dämmer, in dem der Besiegte schon anfängt, seine Befehle zu erteilen. Schreckerregender Augenblick, da der Besiegte nichts mehr zu verlieren und der Sieger nichts mehr zu gewinnen hat!

Im Juni 1940 gab es einen Besiegten: Hitler, der geräuschvoll in Berlin frohlockte, und einen Sieger, Albert Camus, Angehöriger eines geschlagenen Landes, Verfasser eines Meisterwerks, das bedeutsamer ist als jede militärische Schlacht. Im Juli schnitt die Einführung der berühmten Demarkationslinie Frankreich in zwei Teile. Clermont-Ferrand befand sich in der unbesetzten Zone, die ihre Befehle nicht — noch nicht — unmittelbar von der Besatzungsmacht erhielt, sondern von einem vergreisten Marschall; ihn, den eine reaktionäre Kamarilla umgab, hatte der Zusammenbruch an die Macht gebracht. Die offizielle Politik predigte Demut, Unterwerfung und sozialen Paternalismus. Polizisten und arbeitslos gewordene Berufsmilitärs amteten als Zensoren. Unter diesen Umständen dachte Camus keinen Augenblick daran, Journalist zu bleiben, denn damit hätte er sich zum Beihelfer einer Ordnung gemacht, die er ablehnte. Er legte seine Arbeit bei «Paris-Soir» nieder und suchte Zuflucht in Lyon.

Es muß wohl nicht ausdrücklich gesagt werden, daß Camus nie gegen irgendein Land war, sondern immer nur gegen die Tyrannei, selbst wenn sie in seinem eigenen Land herrschte. Zwischen 1937 und 1939 hatte er im «Alger Républicain» gegen Franco und für die spanischen Republikaner Partei ergriffen. 1939 spricht er nie von einem «Krieg gegen Deutschland», sondern von einem «Krieg gegen Hitler». Schon 1940 entsprachen die in seinen berühmten *Lettres à un ami allemand (Briefe an einen deutschen Freund)* gebrauchten Aus-

Einmarsch der deutschen Truppen in Paris am 14. Juli 1940

Blick auf Oran

drücke einer tatsächlichen Wirklichkeit. Mitten im Getöse der Hitlergröße wußte er, daß *die einzige Größe eines Landes in der Gerechtigkeit besteht.* Und während der Eroberer sich Europa unterjochte, legte Camus sein Wesen bloß. *Wonach der Eroberer der Rechten oder der Linken trachtet, ist nicht die Einheit, denn die Einheit besteht vor allen Dingen aus der Harmonie der Gegensätze, sondern die Totalität, denn sie bedeutet die Ausmerzung der Unterschiede.* (16) Dieses von den Nazis geschmiedete «neue Europa», zu dem ein in Vichy entstandenes «neues Frankreich» gehörte, konnte Camus nicht annehmen, nicht einmal darin leben, außer um zu kämpfen. 1940 jedoch hatte die Stunde des Kampfes, das heißt der inneren Widerstandsbewegung noch nicht geschlagen. Nach einem dreimonatigen Aufenthalt in Lyon kehrte Camus nach Algerien zurück. Nicht nach Algier, wo er keinen Zuzug hatte, sondern nach Oran, wo die Familie seiner Frau ihn aufnahm.

Oran, die zweitgrößte Stadt Algeriens und würdig, seine Hauptstadt zu sein, Oran, *das dem Meer den Rücken zukehrt,* sich aber in eine der schönsten Buchten der Welt schmiegt, empfing diesen verfolgten Reisenden, den verirrten Sohn, der ohne Erfolg eine Hin-

und Rückreise ins Mutterland unternommen hatte, mit Gleichgültigkeit. Und wiederum keine Stellung, kein Geld und zudem das Gewicht der Ironie des Schicksals auf den Schultern, die wohl einen genaueren Namen verdient. Das Absurde hält Camus weiterhin in den Klauen. Am Tag des Aufbruchs nach Griechenland — o Sonne, Friede, Ewigkeit! — der Krieg, dieser lange, schwarze Tunnel. Gleich zu Beginn dieses Krieges für die Freiheit im Land der Freiheit selber Zwang und Verbannung. Neuer Aufbruch, diesmal nach Paris. Niederlage und Flucht. Was ist denn nun eigentlich absurd? Die Welt oder Camus? Er jedenfalls schöpft aus seiner Einsamkeit die Kraft, seine ersten Werke zu vollenden. Er ist in der Literatur kein völliger Neuling mehr. Charlot in Algier hat bereits zwei Bändchen Essays von ihm veröffentlicht: *L'Envers et l'Endroit* und *Noces (Hochzeit des Lichts)*. Sie haben ihn nicht bekannt gemacht, außer bei ein paar Intellektuellen in Algier. (Hier muß erläuternd gesagt werden, daß die auf die Spitze getriebene kulturelle Zentralisierung in Frankreich jedes literarische Werk, das nicht in Paris herauskommt, als nebensächlich erscheinen läßt.) Jetzt fühlt Camus indessen einen Erfolg nahen, der ihn retten wird. Was auch immer geschehen mag, er hat den Tatsachen Ausdruck verliehen, er hat aus seinen Überlegungen und Erfahrungen ein Werk geschaffen. *L'Etranger* ist geschrieben. *Caligula* ist seit 1938 in Arbeit. *Le Malentendu (Das Mißverständnis)* reift in ihm. Die ersten Seiten von *Le Mythe de Sisyphe (Der Mythos von Sisyphos)* haben Gestalt gewonnen... Der Kreis des Absurden hat sich geschlossen.

Ich werde die Sensation nie vergessen, die die Veröffentlichung von *L'Etranger* im besetzten Frankreich des Jahres 1942 hervorrief. «Eine Literatur der Willensschwäche und Verantwortungslosigkeit», näselte ein vichyhöriger Rezensent im Rundfunk. Genau das Gegenteil war der Fall. Zu jener Zeit, da so viele Menschen nach der Verwirrung der Niederlage sich endgültig zum Handeln entschlossen, wusch die großartige Gleichgültigkeit dieses entblößten, allein der Welt gegenüberstehenden Meursault die Schlacken der Vergangenheit und der Gegenwart von uns ab. Das unerträgliche «Warum?», das er der Natur entgegenschleudert, besaß für uns den Wert eines Aufräumens. Wir würden neu aufbrechen, und zwar als neue und bewußte Menschen.

Wer ist Meursault? Äußerlich gesehen ein kleiner Büroangestellter in Algier, dessen Geschichte, wollte man sie rein in ihrem äußeren Verlauf erzählen, die jämmerlichen «im Volk spielenden» Romane, die um 1930 Mode waren, an Schalheit noch übertreffen würde. Man kann sich lächelnd vorstellen, was für ein Bild die Geschichte ergäbe, wenn sie in diesem Stil nachgezeichnet würde:

Der junge Meursault ist arm und allein. Zu Beginn des Buches wird ihm mitgeteilt, daß seine Mutter im Altersheim gestorben ist. Er verlangt zwei Tage Urlaub, um dem Begräbnis beizuwohnen. Nachher kehrt er zu seinen Gewohnheiten und seinen Bekannten zurück: Céleste, Masson, der alte Salamano und schließlich Maria Cardona, ein Tippfräulein, das früher im gleichen Büro gearbeitet hat und das er seinerzeit begehrte. Ein Idyll entspinnt sich zwischen den jungen Leuten. Maria wird Meursaults Geliebte. Ein bißchen später lernt Meursault einen Mann namens Raymond Sintès kennen, der sein Kamerad wird und ihn an den Strand mitnimmt. Raymond hat irgendeinen düsteren Streit mit einem Araber. Schlägerei. Raymond leiht Meursault seinen Revolver, und Meursault erschießt den Araber...

Genug des Spiels, das in gewisser Hinsicht gar keines ist. Denn es ist nicht so sicher, ob Camus' Stil nicht bei dieser am Fließband hergestellten Literatur Anleihen aufnimmt. Seltsamer Stil, in dem so ungleiche Sätze zu finden sind wie: *Heute habe ich im Büro viel gearbeitet. Der Chef war liebenswürdig. Er fragte mich, ob ich nicht zu müde sei.* Und: *Angesichts dieser Nacht voller Zeichen und Sterne wurde ich zum ersten Mal empfänglich für die zärtliche Gleichgültigkeit der Welt.* Warum? Weil auch hier die «doppelte Wahrheit» herrscht, die zwei verschiedene Tonarten erfordert: den Ton des Augenblicks und den der Ewigkeit, des Elends und der Sonne, der Geschichte und der Tragödie.

Die Geschichte: Meursaults Leben, von ihm selbst erzählt. Die Tragödie: das Schicksal, das die Welt und die Sonne ihm ohne sein Wissen bereiten. Ohne sein Wissen, aber nicht ohne sein geheimes Einverständnis. Der Dichter Max Jacob, der in einem Konzentrationslager verhungern sollte, hatte noch Zeit gehabt, *L'Étranger* zu lesen, und sich folgendermaßen dazu geäußert: «Studie eines Menschen, der unempfindlich ist für die Gegenwart der Wirklichkeit.» Unempfindlich? Besser noch: abwesend. Abwesend wie jener Unbekannte, der unauffindbare Ordner der Harmonie von Tipasa. Wiederum schleudert die Literatur der Gottheit eine großartige Herausforderung entgegen. Aber der Trotzbietende ist weder Faust noch Don Juan, sondern ein kleiner Büroangestellter in Algier. Und es ist kein Schrei der Auflehnung, keine Drohung und keine Lästerung, sondern ein Echo.

«Gott nicht da», sagt die Natur. «Ich nicht da», antwortet Meursault. Und er denkt, spricht und handelt in der Tat, als wäre er nicht da. Abwesend-anwesend beim Begräbnis seiner Mutter, abwesend-anwesend im Kino, wo er am nächsten Tag schon mit Maria einen Film von Fernandel ansieht, abwesend-anwesend beim Baden am Strand, bei den Ereignissen, die sich in seinem Haus und auf der Straße abspielen, in der Freundschaft und der Liebe, die sich ihm darbietet. «Es ist mir gleich», ist sein Leitmotiv. Wenn ihm eine unausweichliche Frage gestellt wird, antwortet er zwei- oder dreimal ungerührt «nein». *Am Abend holte Maria mich ab und fragte mich, ob ich sie heiraten wollte. Ich antwortete ihr, das wäre mir einerlei, aber wir könnten heiraten, wenn sie es wolle. Da wollte sie wissen, ob ich sie liebe. Ich antwortete, wie ich schon einmal geantwortet hatte, daß das nicht so wichtig sei, daß ich sie aber zweifellos nicht liebe. «Warum willst du mich dann heiraten?» fragte sie. Ich erklärte ihr, das sei ganz unwichtig ... Sie meinte, die Ehe sei etwas sehr Ernstes. Ich antwortete: «Nein».*

Aber die Tat? Das Verbrechen? Nun, auch daran nimmt Meursault nicht teil. Sein Kamerad Raymond, ein kleiner Gauner ohne Format, hat ihn allein am Strand gelassen, mit dem Revolver in der Tasche. Der streitlustige Araber hat sich entfernt und sich in den Schatten eines Felsens gelegt. Meursault nähert sich ihm ohne böse Absicht. *Für mich war die Geschichte erledigt.* Aber die Sonne blitzt *wie ein Schwert von Licht* im *brodelnden Metall des Ozeans* und auf der Klinge des Messers, das der Araber zur Vorsicht gezückt hat. Hinter Meursault drängt sich *ein ganzer sonneflirrender Strand;* die Zeit steht still und ist gleichsam mit der Feuerkugel am Zenit festgenagelt. Die große tragische Starre des Mittags. Aus allem Vorhergehenden und Nachfolgenden geht deutlich hervor, daß Meursaults Verbrechen von Camus als vielleicht beinahe ritueller Sonnenmord gedacht ist. Der Held trug übrigens ursprünglich den Namen Mersot, den gewisse Interpreten als Mersol, mer-soleil, gedeutet haben. Erwähnenswert ist auch, daß Camus' erster, unvollendeter und unveröffentlichter Roman, *La Mort heureuse,* einen Ritualmord zum

Gegenstand hatte, der von einem jungen Mann an einem Greis verübt wurde, weil er sich «von der Zeit und dem Absurden zu befreien» begehrte.

Da geriet alles ins Wanken. Vom Meer kam ein starker, glühender Hauch. Mir war, als öffnete sich der Himmel in seiner ganzen Weite, um Feuer regnen zu lassen. Ich war ganz und gar angespannt, und meine Hand umkrallte den Revolver. Der Hahn löste sich, ich berührte den Kolben, und mit hartem, betäubendem Krachen nahm alles seinen Anfang. Ich schüttelte Schweiß und Sonne ab. Ich begriff, daß ich das Gleichgewicht des Tages, das ungewöhnliche Schweigen eines Strandes zerstört hatte, an dem ich glücklich gewesen war. Dann schoß ich noch viermal auf einen leblosen Körper, in den die Kugeln eindrangen, ohne daß man es sah. Und es waren gleichsam vier kurze Schläge an das Tor des Unheils.

Damit schließt der erste Teil des Buches. Im zweiten Teil wird die «Leere» in Meursaults Leben von den Menschen, seinen «Brüdern», ausgefüllt, und auf wie lachhafte Weise! Von den Menschen, die tun, als ob. Als ob Gott existierte. Als ob die Welt einen Sinn hätte. Auf einmal ist Meursault den Richtern überantwortet. Alle sind sie Richter: die Polizisten, die Gerichtsbeamten, selbst der Verteidiger und das Publikum des Schwurgerichtshofes. Fragen: Warum hat er getötet? Und zunächst: wer ist er? Das muß man unbedingt wissen, denn hier geht es zwar darum, zu strafen, aber noch viel mehr darum, zu verstehen. Die Gesellschaft findet nichts dabei, einen Menschen dem Henker zu übergeben, aber nur einen Menschen, den sie verstanden hat. Also, Angeklagter Meursault, erklären Sie sich. Gerade dessen ist er unfähig. Gut, dann wird man ihn eben an seiner Statt erklären. Dazu genügt ein kurzer Prozeß, in dessen Verlauf jede seiner Handlungen unter die Lupe genommen wird. Das Ergebnis fällt entsprechend aus: dieses Begräbnis der alten Mutter, bei dem er keine Träne vergoß (wie denn! eine Zigarette hat er am Sarg geraucht!), dieser Film mit Fernandel, den er schon gleich am nächsten Tag ansah, diese Liebschaft mit einer Büroangestellten (ebenfalls schon am nächsten Tag!), diese Ausflüge an den Strand, das alles beweist, meine Herren Geschworenen, daß wir es mit einem Ungeheuer zu tun haben. Bravo! Ein Ungeheuer ist leicht erklärt. Es ist ein Ungeheuer, weiter nichts, und muß ausgemerzt werden. Was kann man darauf erwidern? *Ich stand auf, und da ich Lust zum Sprechen hatte, sagte ich, übrigens ganz unvorbereitet, ich hätte nicht die Absicht gehabt, den Araber zu töten ... Ich antwortete hastig ... Die Schuld an allem hätte die Sonne.* Gelächter. Dann folgt die übliche Komödie, wehende Talarärmel, Rededuell zwischen dem öffentlichen Ankläger und dem Verteidiger. Und schließlich das Urteil: *Der Vorsitzende sagte zu mir in seltsamer Form, daß man mir im Namen des französischen Volkes auf öffentlichem Platz den Kopf abschlagen werde.* So werden auf der Ebene der Geschichte die Sonnentragödien gerichtet.

«Ich nicht da.» Unter einem leeren Himmel haben leere Menschen Leere verurteilt. Wenn der Roman mit dieser Seite aufhörte, stellte er schon eine vorbildliche und furchtbare Fabel dar, und die Erinnerung an Meursault wäre uns unverwischbar eingeprägt: das Bild des Heiligen ohne Dichte. Aber wie es keinen Heiligen ohne Methode gibt, gibt es auch keinen ohne Botschaft, und Camus führt seinen Helden bis zur Himmelfahrt. In der Zelle der zum Tode Verurteilten besucht ihn ein Priester. Was kann er für ihn tun? Meursault weiß nicht, was Sünde ist; er weiß nur, daß er schuldig ist, weil man es ihm gesagt hat. Gott? *Ich antwortete, ich glaubte nicht an Gott. Er wollte wissen, ob ich dessen ganz sicher sei, und ich antwortete, ich brauchte mich das nicht zu fragen: ich fände das ganz unwichtig.* Wie denn – keine Wahrheit, keine Gewißheit? Doch: diese Welt. Sie existiert. Nur diese Welt? Nicht einmal das Verlangen nach einem anderen Leben? Das ist doch nicht möglich! Wie jeden denkenden Menschen muß ihn nach einem anderen Leben verlangt haben. *Natürlich, antwortete ich, aber das sei genau so unwichtig, wie der Wunsch nach Reichtum, wie der Wunsch, sehr schnell schwimmen zu können oder einen schöneren Mund zu haben. Das liege auf der gleichen Linie. Aber er unterbrach mich und wollte wissen, wie ich dieses andere Leben sähe. Da brüllte ich ihn an: «Ein Leben, in dem ich mich an dieses erinnern kann.»* Und auf einmal erträgt Meursault das Geschwätz des Priesters nicht mehr. Irgend etwas platzt in ihm. Er packt ihn am Kragen seiner Soutane und schleudert ihm seine geheimsten Gedanken ins Gesicht. Und zum ersten Mal empfindet er *ein Aufwallen von Freude und Zorn.* Gewißheiten? Ja, Meursault besitzt Gewißheiten!

Er sehe so sicher aus, nicht wahr? und doch sei keine seiner Gewißheiten ein Frauenhaar wert. Er sei nicht einmal seines Lebens gewiß, denn er lebe wie ein Toter. Es sehe so aus, als stünde ich mit leeren Händen da. Aber ich sei meiner sicher, sei aller Dinge sicher, sicherer als er, sicher meines Lebens und meines Todes, der mich erwarte. Ja, nur das hätte ich. Aber ich besäße wenigstens diese Wahrheit, wie sie mich besäße. Ich hätte recht gehabt, hätte noch recht und immer wieder recht. Ich hätte so gelebt und hätte auch anders leben können. Ich hätte das eine getan und das andere nicht. Und weiter? Es war, als hätte ich die ganze Zeit über auf diese Minute und auf dieses kleine Morgenrot gewartet, in dem ich gerechtfertigt würde. Nichts, gar nichts sei wichtig, und ich wisse auch warum. Und er wisse ebenfalls warum. Während dieses ganzen absurden Lebens, das ich geführt habe, wehe mich aus der Tiefe meiner Zukunft ein dunkler Atem an, durch die Jahre hindurch, die noch nicht gekommen seien, und dieser Atem mache auf seinem Weg alles gleich, was man mir in den auch nicht wirklicheren Jahren, die ich lebte, vorgeschlagen habe. Was schere mich der Tod der anderen, was die Liebe einer Mutter. Was schere mich Gott, was das Leben, das man sich wählt, das Geschick, das man sich aussucht, da ein einziges Geschick mich aussuchen mußte und mit mir Milliarden von Bevorzugten, die sich wie er meine Brüder nannten! Verstand er das? Jeder sei bevorzugt. Es gebe nur Bevorzugte. Auch die anderen werde man eines Tages verurteilen. Auch ihn werde man verurteilen. Was läge daran, wenn er, des Mordes angeklagt, hingerichtet würde, weil er beim Begräbnis seiner Mutter nicht geweint habe? Salamanos Hund sei genau so viel wert wie seine Frau. Die kleine alte Frau sei ebenso schuldig wie die Pariserin, die Masson geheiratet hatte, oder wie Maria, die von mir geheiratet werden wollte. Was bedeutete es, daß Raymond, genau wie Céleste, der wertvoller war als er, mein Freund war? Was bedeutete es, daß Maria heute ihren Mund einem anderen Meursault bot? Verstand das dieser Verurteilte — und daß aus der Tiefe meiner Zukunft …

Man trennt die beiden, der Priester geht. Meursault beruhigt sich und wirft sich erschöpft auf sein Lager. Die Nacht bricht herein. Als Meursault erwacht, *scheinen ihm die Sterne ins Gesicht,* und er kann sich endlich, *vom Bösen befreit, der Hoffnung benommen,* dem Frieden hingeben, der *zärtlichen Gleichgültigkeit der Welt.* Alles ist gut. Ja, wie das Sprichwort sagt: Ende gut, alles gut. *Damit sich alles erfüllt, damit ich mich weniger allein fühle, brauche ich nur noch eines zu wünschen: am Tage meiner Hinrichtung viele Zuschauer, die mich mit Schreien des Hasses empfangen.*

So war das Buch beschaffen, das uns, hell und scharf wie eine Klinge, mitten in den trostlosesten Jahren einen Pessimismus voll Hoffnung brachte. Später nahmen wir auch die Zärtlichkeit wahr, die es enthält, und wir erkannten, daß der große, klarsichtige und unerbittliche Bruder, der es für uns geschrieben hatte, auch ein demütiges Herz besaß. Wir dachten an den räudigen, skrofulösen Hund des alten Salamano, den sein Meister unablässig beschimpft — *du Aas!* — und über dessen Verlust er untröstlich ist. *Das seltsame, kleine Geräusch, das ich durch die Wand hörte, verriet mir, daß er weinte.* Wir erfuhren, wer Camus war, welchen Beruf er ausgeübt hatte, und wir lasen einen der Abschnitte über den Prozeß vor dem Schwurgericht mit anderen Augen:

Die Journalisten hatten schon die Füllhalter gezückt. Sie machten alle das gleiche gelangweilte, etwas hochnäsige Gesicht. Nur einer, der viel jünger war als die anderen und einen grauen Flanellanzug und eine blaue Krawatte trug, hatte seinen Halter auf dem Tisch liegen lassen und sah mich an. In seinem etwas unregelmäßigen Gesicht sah ich nur zwei sehr helle Augen, die mich aufmerksam musterten, ohne etwas Bestimmtes zu verraten. Ich hatte den seltsamen Eindruck, als würde ich von mir selbst gemustert.

Das Genäsel des Vichy-Rezensenten konnte uns nicht mehr erreichen. Wir wußten, daß wir es mit einer ausgereiften Literatur zu tun hatten und daß dieser mutige und verantwortungsbewußte Neuankömmling in der Truppe der engagierten Schriftsteller der jüngeren und der älteren Generation, die da Malraux, Mauriac, Sartre, Simone de Beauvoir und Saint-Exupéry hießen, nur eine gleichgültige Gestalt geschaffen hatte, um uns der Gleichgültigkeit des Schicksals gegenüberzustellen und uns aufzufordern, sie zu überwinden.

Chronologisch gesehen ist *Le Malentendu*, zumindest was seine Niederschrift betrifft, nach *Caligula* und *Le Mythe de Sisyphe* entstanden. Wenn ich es dennoch an zweiter Stelle behandle, so aus zwei Gründen: erstens betrachte ich es – zu Recht oder zu Unrecht – als einen Übergang zwischen der tabula rasa von *L'Étranger* und dem Ausbruch *Caligula* und der nachfolgenden Lagebestimmung von *Le Mythe de Sisyphe*; zweitens erzählt Meursault im Gefängnis bereits das Thema des Stücks:

Zwischen Strohsack und Pritsche hatte ich nämlich ein altes Stück Zeitung gefunden, das fest an dem Stoff klebte und vergilbt und durchsichtig war. Es berichtete von einem Ereignis – der Anfang fehlte –, das sich in der Tschechoslowakei zugetragen haben mußte. Ein Mann hatte sein tschechisches Dorf verlassen, um sein Glück zu machen. Nach fünfundzwanzig Jahren war er als reicher Mann mit Frau und Kind zurückgekommen. Seine Mutter betrieb mit seiner Schwester in seinem Heimatdorf einen Gasthof. Um sie zu überraschen, hatte er Frau und Kind in einem anderen Gasthaus untergebracht und war zu seiner Mutter gegangen, die ihn nicht erkannte. Aus Jux verfiel er auf den Gedanken, in dem Gasthaus ein Zimmer zu mieten. Er hatte sein Geld gezeigt. In der Nacht hatten Mutter und Schwester ihn mit Hammerschlägen ermordet, um ihn auszurauben, und hatten die Leiche in den Fluß geworfen. Am Morgen war die Frau gekommen und hatte ganz ohne Absicht verraten, wer der Reisende war. Die Mutter hatte sich erhängt. Die Schwester hatte sich in einen Brunnen gestürzt.

Meursaults Kommentar: *Einerseits war diese Geschichte unglaubhaft, andererseits ganz natürlich.* Treffender könnte man es nicht ausdrücken.

In *Le Malentendu* braucht Camus also nicht an der Handlung herumzufeilen. Er übernimmt sie in der Form, in der Meursault sie ihm hinterlassen hat, möchte man sagen. Er sieht einen Betrug darin, das heißt ein Thema, das für die Bühne wie geschaffen ist. Denn es gibt kein besseres Thema im Theater als den Betrug; er erlaubt gleichsam ein Spiel im Spiel, wobei der Autor das Publikum auf seiner Seite hat, gegen seine eigenen Geschöpfe, so daß die Personen auf der Bühne herumgeschoben werden, während die Zuschauer im Bild sind. Im vorliegenden Fall ist natürlich das Schicksal der Betrüger.

Camus erfindet also logischerweise ein in drei Akte zerfallendes Stück: I – Jans Rückkehr; II – Seine Ermordung; III – Die Entdekkung der Wahrheit. Hinzufügen wird er bloß die Dichte der Hauptperson, die nicht Jan ist, sondern seine Schwester Martha. Und eine weitere Gestalt: das Schicksal selber, das von einem alten, stummen Knecht verkörpert wird.

Als *Le Malentendu* im aufgewühlten Paris des Jahres 1944 im Théâtre des Mathurins seine Uraufführung erlebte, wurde es mit gemischten Gefühlen aufgenommen. Die einen bekundeten zuerst Verlegenheit und dann deutliche Mißbilligung, während die anderen begeistert Beifall klatschten. Die Gründe der ersteren betrafen hauptsächlich die Technik des Stücks, die der letzteren die Großartigkeit des Dialogs. Es stimmt, daß die dramatische Logik von *Le Malentendu* gewisse Gefahren in sich birgt, denn die ganze Handlung beruht auf einem Spiel von Zufällen. Und einzig und allein aus Zufall nimmt das Drama ein schlimmes Ende. Die «Spannung» von Marthas Hin und Her – bringt ihn um, bringt ihn nicht um –, die Möglichkeit, sich zu retten, die sich Jan ständig bietet und die er nicht ergreift, sein Zögern, während er jeden Augenblick drauf und dran ist, sich zu erkennen zu geben, das Kommen und Gehen seiner Frau Maria, die alles erklären könnte, aber stets im falschen Augenblick erscheint oder verschwindet, das alles verleiht diesem Drama einen komischen Anstrich. So soll man also darüber lachen? Das Publikum des Jahres 1944 war nicht dieser Meinung, denn man hatte ihm gesagt, es habe es mit einem «ernsthaften» Dramatiker zu tun, und so rechnete es ihm alles, was diesem Ernst zuwiderlief, als Fehler an. Ich bin nicht dieser Ansicht. Ja, es soll gelacht werden bei *Le Malentendu.* Nicht um ein klassisches Lachen handelt es sich, das durch einen drolligen Dialog oder Situationskomik ausgelöst wird, sondern um das Kennerlachen der Erfahrung angesichts der unüberbietbaren Ironie des Schicksals. Denn schließlich besteht das Leben nur aus eben diesem Lachen, das Humor heißt. *Einerseits unwahrscheinlich, andererseits ganz natürlich* – so hängt unser Leben von Zufällen ab, die es mit denen von *Le Malentendu* ruhig aufnehmen können. In unserem Leben geht es zu wie im Stück: jeden Augenblick stellt eine Gebärde, ein Wort, ein Besuch, ein Abschied Glück oder Unglück in Frage. Ein Beispiel? Denken wir an jenen Schriftsteller, der bei einem Autounfall ums Leben kam, während er seine Eisenbahnfahrkarte in der Tasche trug, weil einer seiner Freunde ihn am Vormittag besuchte und ihn im Wagen mitnahm, da er den Wunsch verspürt hatte, einen Tag früher nach Paris, zu Frau und Kindern, heimzukehren.

Jedenfalls war ich der Meinung, der Reisende habe sein Los in gewisser Weise verdient, denn solche Scherze macht man nicht, fügt Meursault unbarmherzig hinzu. Aber Jan «spielt» nur, wie er selbst sagt, um das, was er brennend wiederzufinden wünscht, besser kennenzulernen: *meine Mutter und eine Heimat.* Nur hat er nicht daran gedacht, daß auch seine Schwester Martha von einer Heimat träumt, vom fernen Süden, vom Meer, das heißt von der Freiheit, einer *Freiheit, die, wie Proudhon großartig sagt, eine Tochter des Meeres ist.* Das Verbrechen sollte ihr das nötige Geld dazu beschaffen. So stehen sie sich gegenüber: zwei Verlangen, zwei Erwartungen, der Mann, der *den Stempel der Unschuld* trägt, und das herbe, dunkle Mädchen mit der ganzen Last seiner verzweifelten Ungeduld. Ein unversöhnbarer Gegensatz: der Mann will auf seinem Heimatboden bleiben, die Kenntnis der Menschen seines Geschlechts vertiefen, und seine Schwester will den Menschen und den Dingen entrinnen.

Jan: Vielleicht gibt es auch Menschen, deren Blühen Sie erleben könnten, wenn Sie ihnen bloß mit Ihrer Geduld zu Hilfe kämen.

Martha: Ich habe keine Geduld mehr übrig ... Aber ich stelle mir voll Entzücken jenes andere Land vor, wo der Sommer alles unter seiner Macht begräbt ...

Über ihnen steht das Schicksal, jener alte Knecht, den ein jeder jederzeit herbeirufen kann, der aber nur erscheint, um Schweigen zu bewahren. *Die Klingel läutet, er aber spricht nicht.*

Die Würfel sind gefallen. Weil sie den Paß, den Jan ihr reichte, um den Zufall auf die Probe zu stellen, nicht angeschaut, sondern nur in der Hand gehalten hat, tötet Martha ihren Bruder, indem sie seinen Tee vergiftet.

Jan: Ich bin Ihnen sehr dankbar für den Empfang, den Sie mir gewährt haben.

Die Mutter: Sie brauchen sich nicht zu entschuldigen. Es handelt sich nur um einen Irrtum.

Am nächsten Tag muß dann der Paß vernichtet werden, damit er der Polizei nicht in die Hand fällt. Diesmal nun springt der Name in die Augen, der Name des Mannes, der Glück und Reichtum bringen wollte und der jetzt nur mehr eine Leiche im Fluß ist.

Nachdem die Mutter das Haus verlassen hat, um in den Tod zu gehen, bleibt Martha eine Zeitlang allein: ... *So mögen die Türen ringsum sich schließen! ... Oh, ich hasse diese Welt, in der wir auf Gott angewiesen sind!* Dann kehrt Maria, Jans Frau, zurück. Sie erfährt das Geschehene und hört eine letzte Botschaft aus dem Mund der Mörderin: *Nun sind wir alle in die Ordnung eingetreten. Verstehen Sie doch, daß es weder für ihn noch für uns, weder im Leben noch im Tod Heimat oder Frieden gibt.* Als Maria allein ist, wirft sie sich auf die Knie: *O mein Gott, in dieser Wüste kann ich nicht leben! ... Hab Mitleid mit mir! ... Erhöre mich, reich mir deine Hand! Hab Mitleid, Herr, mit denen, die sich lieben und Trennung erleiden!* Die Tür öffnet sich, und der alte Knecht erscheint. Zum ersten Mal spricht er:

Der Alte: Sie haben mich gerufen?

Maria: Oh, ich weiß nicht! Aber helfen Sie mir, denn ich habe Hilfe nötig. Haben Sie Mitleid und helfen Sie mir!

Der Alte, mit klarer, fester Stimme: Nein!

Zwischen *Le Malentendu* und *Caligula* ist seltsamerweise – der chronologischen Reihenfolge ungeachtet – ein unbestreitbarer dramatischer Fortschritt festzustellen. Camus verwendet keine symbolischen, etwas zu durchsichtigen und aufreizenden Gestalten mehr; seine persönliche Botschaft ist nicht mehr dem Text seiner Helden aufgeklebt, und der Held schließlich existiert, er handelt und wird nicht nur herumgeschoben. Im großen Welttheater bot *Le Malentendu* uns nur einen einzigen Schauspieler: das Schicksal. Caligula jedoch erfindet als Handelnder und als Schauspieler seine eigene Bühne.

Wir befinden uns im Jahre 38 nach Christi Geburt. Der junge Kaiser Gaius Caligula, dessen Herrschaft in Milde und Klugheit begann, hat soeben seine Schwester Drusilla verloren, an die ihn – ein öffentliches Geheimnis – noch andere Bande als die des Blutes fesselten. *(Ich wundere mich nicht mehr, daß Italien das Land der Inzeste oder zumindest, was noch bezeichnender erscheint, der eingestandenen Inzeste ist. Denn der Weg, der von der Schönheit zur Unsterblichkeit führt, ist gewunden, aber gewiß,* schreibt Camus in *Noces.)* Dieser Tod scheint Caligula in Verzweiflung zu stürzen: er hat den Palast verlassen und bleibt verschwunden. Die Patrizier sind von Sorge erfüllt und jammern, denn was ist schon ein Kaiser, der Liebeskum-

Caligula. Museo Capitolino, Rom

Hitler und Franco, 1940

mer empfindet! Wenn sie jedoch wüßten, was ihnen bevorsteht, wären ihre Klagen noch viel lauter, denn nicht Drusillas Tod hat Caligula wie ein Blitzschlag getroffen, sondern der Tod an sich. Die ungeschminkte Augenfälligkeit einer *ganz einfachen, ganz klaren, ein bißchen törichten Wahrheit* wird der endlich zurückkehrende Caligula seinem ergebenen Freund, dem freigelassenen Sklaven Helicon, anvertrauen. Welche Wahrheit? *Die Menschen sterben und sie sind nicht glücklich. – Ach sieh, Gaius,* antwortete Helicon, *das ist eine Wahrheit, mit der man sich unschwer abfindet. Schau um dich. Das ist kein Grund, der die Menschen am Essen hindern würde.* Caligula erwiderte jedoch heftig: *Dann ist eben alles um mich Lüge. Ich aber will, daß in der Wahrheit gelebt wird!* Schüchtern rät Helicon ihm, sich zuerst einmal auszuruhen. Doch Caligula entgegnet: *Das ist nicht mehr möglich, Helicon, das wird nie mehr möglich sein.*

Caligula will nämlich etwas ganz, wonach die Menschen sonst immer nur im Spaß verlangen: den Mond. Und da sie ihn sich nur im Spaß wünschen und da diese großen Kinder es nur verstehen, zu verzichten und darüber zu lachen, wird Caligula ihr Lehrer sein, denn er hat auch die Mittel dazu und weiß, wovon er spricht. Das Mittel ist natürlich die Macht. Im Besitz der unumschränkten Macht wird der junge Kaiser alles einsetzen, um das Absolute und das Absurde auf ihrem eigenen Boden zu bekämpfen. Da im Himmel alles absurd ist, wird er auch auf Erden das Absurde schaffen und nicht dulden, daß eine falsche «Vernunft» die Menschen lähmt. Vorbei ist aller Konformismus, die politische Klugheit, das Recht, die Billigkeit, die Tugend. Es geht darum, die Freiheit zu erobern. *Diese Welt ist ohne Bedeutung, und wer das erkennt, gewinnt seine Freiheit ... Geht und verkündet Rom, daß ihm endlich die Freiheit wiedergegeben ist und daß damit eine große Prüfung ihren Anfang nimmt.*

Worte voll Weitsicht. Denn es ist wohl eine große Prüfung für ein Volk, wenn ein dem Absoluten verschriebener Übermensch sich auf den Thron setzt. Wir werden Caligula nicht den Schimpf antun, ihn mit Hitler zu vergleichen, obwohl viele Kritiker es getan haben. Nein, der junge, schöne Kaiser, dessen Anmut auch im Bösen oder dem, was wir das Böse nennen, hell erstrahlt, ist nicht Hitler; dieser taucht höchstens andeutungsweise in einem anderen Text von Camus auf: *und ich bin sogar der Ansicht, daß wir den Irrtum derer, die in übersteigerter Verzweiflung ... sich allen herrschenden Formen des Nihilismus verschrieben, verstehen müssen, ohne indessen aufzuhören, sie zu bekämpfen.* (17) Aber wenn Caligula auch gelegentlich drei Kriege ablehnt und wenn er das Wort Sieg oder Eroberung wie alle anderen in Anführungszeichen setzt, so endet er doch ebenfalls beim Verbrechen. Der als eine der schönen Künste aufgefaßte Mord ist die logische unmittelbare Folge seines Ringens mit dem Absoluten. Dostojewskis Kirillow kann die Freiheit der Menschen nur beweisen, indem er sich umbringt. Caligula wird die seine nur beweisen, indem er die anderen umbringt.

Für die ersten Opfer mag es hingehen. Caligulas Überzeugungskraft äußert sich in dem Umstand, daß wir mit seinen ersten Taten einverstanden sind. Wenn er anordnet, daß die reichen Patrizier zum größeren Wohle des Staatsschatzes ihre Kinder enterben, ein Testament zugunsten des Staates aufsetzen und dann unverzüglich *einer willkürlich aufgestellten Liste folgend* umgebracht werden müssen, denn *wenn der Staatsschatz wichtig ist, dann ist das Menschenleben nicht wichtig;* wenn er hier und dort von Charakterschwäche und Dummheit strotzende Senatoren in den Tod schickt, ja vor unseren Augen den alten Mereia ermordet, der die Schuld auf sich lud, beim Mahl aus einem Fläschchen zu trinken, das an eine Phiole mit Gegengift gemahnte, in Wirklichkeit jedoch ein Heilmittel gegen Asthma enthielt, dann lachen wir und sind Komplicen. Wir lassen uns von seiner Dialektik mitreißen und sind mit ihm der Meinung, *es gebe keine tiefe Leidenschaft ohne eine gewisse Grausamkeit.* (Dabei handelt es sich hier immerhin um ein einigermaßen beunruhigendes Paradox, das unsere edle Menschenfreundlichkeit im Zuschauerraum nicht so ohne weiteres hinnehmen dürfte. So gibt es denn erlaubte Verbrechen? Und wir, die wir so empört gegen die «Entwürdigung des Menschen» zum Beispiel in den Konzentrationslagern protestiert haben, wir lachen, wenn Caligula die Patrizier zwingt, um seine Sänfte herumzutanzen, oder wenn er die Frau eines seiner Freunde zwingt, sich ihm in dessen Gegenwart hinzugeben.)

Aber bald weckt das Absurde selber eine heftigere Auflehnung in uns als die Auflehnung, die sich des Absurden bedient. Und es kommt der Augenblick, da Caligula, selbst absolut gesehen, unrecht hat. Denn in dieser lächerlichen Welt ist eben doch nicht alles lächerlich, wie er glaubt. Gewisse Menschen und Werte dürfen nicht in Anführungszeichen gesetzt werden.

Zwei solche Menschen stellen sich Caligula bald siegreich entgegen, nicht aus billigen Gründen, wie zum Beispiel um ihr Leben zu retten, sondern im Namen einer höheren Ordnung. Der eine ist der Patrizier Cherea, der andere der Dichter Scipio. Ihre Eigenart besteht darin, daß sie beide Caligula verstehen und bis zu einem gewissen Grad lieben. Aber obwohl sie von der Wahrheit durchdrungen sind, die er entdeckt hat, ziehen sie beide die gegenteilige Wahrheit vor, die sie beseelt. Für Cherea sind die Dinge klar: er ist wie Caligula zufällig in eine absurde Welt geboren worden, hat jedoch beschlossen, in dieser Welt zu leben und ihr darum einen *Sinn*, einen Zusammenhalt zu verleihen. *Ich liebe und brauche Sicherheit.* Er gesteht es ganz bescheiden und vernünftig, wie Caligula wohl merkt. *Mich verlangt danach, zu leben und glücklich zu sein. Und ich glaube, daß man weder das eine noch das andere kann, wenn man das Absurde auf die Spitze treibt. Ich bin wie alle Leute. Ich wünsche zuweilen den Tod der Menschen, die ich liebe, und begehre Frauen, die zu begehren die Gesetze der Familie oder der Freundschaft mir verbieten. Wenn ich konsequent sein wollte, müßte ich dann töten oder besitzen. Aber meiner Ansicht nach haben diese verschwommenen Gedanken keine Bedeutung. Wenn jedermann es sich einfallen ließe, sie zu verwirklichen, könnten wir weder leben noch glücklich sein. Und ich wiederhole: darauf kommt es mir an.* Und ein bißchen später sagt er den vielleicht wichtigsten Satz: *Ich glaube, daß es Taten gibt, die edler sind als andere.*

Der junge Scipio seinerseits ist Dichter. Cherea verwirft die unmenschliche Begeisterung des Kaisers im Namen der Ordnung, aber Scipio setzt ihr eine andere Begeisterung entgegen: die der Natur, des *Einklangs zwischen der Erde und dem Fuß des Menschen.* Scipio weiß, daß der Tod, dessen Wirklichkeit Caligula niedergeworfen hat und den der Kaiser jetzt als Waffe gegen das Absurde benützt, unabdingbar zum Leben gehört, ja das Leben selbst ist: *... sonnenglitzernder Himmel, Feste, einmalig und wild ...* Scipio lehnt sich nicht nur gegen den Tyrannen auf, weil dieser seinen Vater umgebracht hat, sondern weil er durch unnützes, frevelhaftes, schmutziges Morden den großen Tod besudelt, der dem Menschen sein Gewicht schenkt,

ihn rechtfertigt. Was will denn Caligula überhaupt? Die Macht ausüben zum Ausgleich. Zum Ausgleich wofür? *Für die Dummheit und den Haß der Götter.* Scipio jedoch erwidert:

Der Haß ist kein Ausgleich für den Haß. Die Macht ist keine Lösung. Und ich kenne nur eine einzige Art, die Feindseligkeit der Welt wettzumachen.

Caligula: Und die wäre?

Scipio: Die Armut.

Von dem Augenblick an ist Caligula verurteilt. Szene um Szene verdeutlicht, wie er zum Zerrbild seiner selbst wird. Von der großen Reinheit jenes ersten Abends, da er zu Drusillas Leiche trat, sie mit der Fingerspitze berührte, nachzudenken schien, sich dann umwandte und in die Gewitternacht hinausfloh, bleibt nichts übrig. Auf der Bühne der Sinnlosigkeit verrenkt sich nun ein erbärmlicher Schmierenkomödiant mit Neroallüren, färbt sich die Zehennägel, verkleidet sich als Venus oder zwingt schlechte Verseschmiede, ihre Täfelchen abzuschlecken. Sein Gesicht trägt fortan bloß noch die ausdruckslosen Züge des Scharfrichters. *Die Hinrichtung erleichtert und erlöst. Sie betrifft jedermann, ist stärkend und gerecht, sowohl in ihren Anwendungen wie in ihren Absichten. – Alle Welt ist schuldig,* das ist in der Tat eine schöne Entdeckung. Wer könnte ihn retten? Nur zwei Getreue vermögen noch ungezwungen mit ihm zu verkehren: Helicon aus Gleichgültigkeit und Ergebenheit und die verblühte Caesonia, Caligulas Geliebte, die *nie einen anderen Gott gekannt* hat als ihren Körper und die aus Güte, Mütterlichkeit, Liebe, Verzweiflung zu ihm hält. *Es kann so schön sein, in der Reinheit seines Herzens zu leben und zu lieben.* Zu spät.

Die Verschwörer sind da. Mit Ausnahme von Cherea lauter Dummköpfe oder Lumpen, aber was tut's? Caligula hat das letzte Geheimnis entdeckt: *Töten ist nicht die richtige Lösung.* Er erwürgt Caesonia, die ihm wie ein Echo zuruft: *Ist das denn Glück, diese entsetzliche Freiheit?* Es bleibt ihm nichts mehr zu erfahren übrig als das Erlebnis des Todes, *die große Leere, in der das Herz Ruhe findet. Ach! Es hätte genügt, daß das Unmögliche möglich wurde. In die Weltgeschichte, Caligula, in die Weltgeschichte!* Der Kaiser zerschlägt den Spiegel, der ihm sein letztes Lachen entgegenhielt. Mit gurgelndem Lachen bricht er unter den Hieben zusammen: *Noch lebe ich!*

So stirbt Caligula, der sich mit der Pest verglich, lachend und mit blutverschmiertem Gesicht. Zu seiner Beurteilung überlassen wir das Wort Camus selber: *Caligula ist ein Mensch, den die Lebensgier zur Zerstörungswut treibt, ein Mann, der aus Treue zu sich selber den Menschen untreu wird. Er lehnt alle Werte ab. Wenn die Wahrheit jedoch darin besteht, die Götter zu leugnen, so besteht sein Irrtum darin, die Menschen zu leugnen. Er hat nicht begriffen, daß man nicht alles zerstören kann, ohne sich selbst mitzuzerstören. Caligula ist die Geschichte des menschlichsten und des tragischsten aller Irrtümer.* (18)

Und schließlich *Le Mythe de Sisyphe.* Oder: Ist das Leben wert, gelebt zu werden?

Die Welt ist absurd: Meursault, Martha, Caligula haben das wohl zur Genüge bewiesen. Allerdings müssen gewisse Unterschiede gemacht werden, und wenn der Romancier und der Dramatiker sich nicht dabei aufhielten, so ist sich doch der Philosoph und Essayist schuldig, sie zu definieren. *Ich sagte, die Welt sei absurd, und ging damit zu rasch vor. An sich ist diese Welt nicht vernünftig — das ist alles, was man von ihr sagen kann. Absurd aber ist die Gegenüberstellung des Irrationalen und des glühenden Verlangens nach Klarheit, das im tiefsten Innern des Menschen laut wird ... Ist die Absurdität erst einmal erkannt, dann wird sie zur Leidenschaft, zur herzzerreißendsten aller Leidenschaften.*

Was ist das Absurde? Es ist *die Dichte und die Seltsamkeit der Welt,* es ist *die Sünde ohne Gott. — Außerhalb eines menschlichen Geistes kann es nichts Absurdes geben. So endet das Absurde wie alle Dinge mit dem Tode. Es kann aber auch außerhalb dieser Welt nichts Absurdes geben. Und aus diesem grundlegenden Kriterium schließe ich, daß der Begriff des Absurden etwas Wesentliches ist und als meine erste Wahrheit gelten kann.*

Wo ist der Ausweg? Natürlich gibt es die Religionen. Aber wir wissen, daß der Verfasser den *Sprung* verwirft, den sie ihm unter Drohung oder mit Verheißungen aufzwingen wollen. *Was nach dem Tod kommt, ist unwichtig.* Eine andere Lösung ist der Selbstmord mit seiner unerbittlichen Logik: da die Natur die Angst der Menschen mit Schweigen beantwortet, hat der Mensch in seiner unbestreitbaren Eigenschaft als Kläger und Verteidiger, als Richter und Angeklagter (Dostojewski) unbedingt das Recht, sie dazu zu verurteilen, mit ihm unterzugehen. Camus bemerkt sehr richtig, daß dies jedoch die Haltung eines *verärgerten* Menschen ist. Kirillows Beispiel liefert ihm zweifellos edlere Gründe: *Wenn Gott nicht existiert, ist Kirillow Gott. Wenn Gott nicht existiert, muß Kirillow sich umbringen. Kirillow muß sich also umbringen, um Gott zu sein. Diese Logik ist absurd, aber das muß so sein.* Und doch wird der Mensch nicht durch diese Ablehnung der Dimension des Absurden ebenbürtig. *Es geht darum, unversöhnt, nicht mit vollem Einverständnis zu sterben. Der Selbstmord ist ein Verkennen. Der absurde Mensch kann nur alles ausschöpfen und sich selber erschöpfen.* Das einsame Bemühen um eine äußerste, tägliche Anspannung wird ihm im Gegenteil erlauben, Tag um Tag für seine einzige Wahrheit Zeugnis abzulegen, und darin besteht die Herausforderung. *Leben heißt das Absurde zum Leben bringen.* Man muß also leben.

Ich stelle meine Klarheit mitten in das hinein, was sie leugnet. Ich erhebe den Menschen angesichts dessen, was ihn vernichtet, und meine Freiheit, meine Auflehnung und meine Leidenschaft vereinigen sich dann in dieser Spannung, in diesem Scharfblick, in dieser maßlosen Wiederholung.

Hier setzt die Logik ein und unterbreitet Versuchungen, schlägt ge-

Sisyphos. Aus dem Tarentiner Prachtgefäß, 4. Jh. v. Chr. Antikensammlung, München

wissermaßen verschiedene Laufbahnen im Absurden vor. Camus unterscheidet deren mindestens drei: die des Don Juan, des Schauspielers und des Eroberers. Alle drei – zu beachten ist, daß ihr gemeinsames Prinzip im Besitzen besteht: Frauen, Gestalten, Eroberungen – haben dank dem Absurden eine *königliche Macht* inne. *Gewiß, es sind Fürsten ohne Reich. Aber sie haben vor den anderen das eine voraus, daß sie wissen, wie illusorisch alle Reiche sind.* Ein Mensch jedoch übertrifft sie alle: der absurde Mensch par excellence – der Schöpfer. Er haust in der Tat in einem völligen Widerspruch. Er gibt zu, daß seine Schöpfung *auch nicht sein kann.* Er arbeitet und schafft für nichts. Er weiß, daß seine Schöpfung keine Zukunft hat, denn was man die Nachwelt nennt, ist ein Betrug selbst bei den Größten. Vielleicht muß er zusehen, wie sein Werk in einem Tag zerstört wird, und weiß dabei zutiefst, daß dies keinerlei Bedeutung hat, aber gleichzeitig bleibt sein durch die Kunst erhelltes und gesteigertes Bewußtsein ständig wach und legt Zeugnis ab von den *strahlenden und unvernünftigen Bildern der Welt. — Verneinen heißt seinem Schicksal eine Form geben. — In dieser täglichen Anstrengung, in der sich Geist und Leidenschaft mischen und gegenseitig steigern, entdeckt der absurde Mensch eine Zucht, die das Wesentliche seiner Kräfte ausmacht.*

Und nun wird der Mythos herbeigezogen, um die Lehre zu veranschaulichen. Weil Sisyphos das unverzeihliche Verbrechen begangen hat, sich zu stark den Dingen dieser Erde zu verschreiben, haben die Götter ihn dazu verurteilt, unablässig einen Felsen auf einen Berg hinaufzurollen. Das ist eine entsetzliche Strafe, doch Sisyphos meistert sie dank der Erkenntnis, daß sein Bemühen hoffnungslos ist. *Der absurde Mensch sagt ja, und seine Mühsal hat kein Ende.* Die Einsicht, die seine Qual bilden sollte, vollendet gleichzeitig seinen Sieg: *Es gibt kein Schicksal, das nicht durch die Verachtung überwunden werden könnte.* Die Wange an den Felsen gepreßt, mit schwieligen Händen ihn umklammernd, empfindet Sisyphos eine Freude, die selbst den Göttern unbekannt ist. *Sein Schicksal gehört ihm. Dieses Universum ... kommt ihm weder unfruchtbar noch wertlos vor. Jedes Gran dieses Steins, jeder Splitter dieses durchnächtigten Berges bedeutet allein für ihn eine ganze Welt. Der Kampf gegen Gipfel vermag ein Menschenherz auszufüllen. Wir müssen uns Sisyphos als einen glücklichen Menschen vorstellen.*

Muß man *Le Mythe de Sisyphe* als «Charta des atheistischen Humanismus» betrachten, wie Henri Amer (19) dies tut, oder einfach als den Versuch eines der Tragik seiner Epoche bewußten und von einer tödlichen Krankheit bedrohten jungen Mannes, die Versuchung des Selbstmords und der Verzweiflung zu überwinden? Die wesentliche Frage wird immer offen bleiben. Sie betrifft nicht Sisyphos, sondern seinen Felsen. Die Christen bestreiten, daß dieser Felsen immer an den gleichen Ort zurückrollt; sie behaupten, daß jede Anstrengung ihn einem Gipfel entgegenhebt, so daß Sisyphos eines Tages seine Aufgabe zu Ende bringt und als Sieger innehalten kann. Die Nicht-Christen hoffen nicht auf das Ende dieser Qual und verlangen auch nicht danach. In literarischer Sicht kann man auch auf die Wahl dieses besonderen Mythos hinweisen und Camus' Vorliebe für das griechische Denken hervorheben, dieses vor allem zyklische Denken, das nicht glaubte, daß die Menschheit in gerader Linie vorwärtsschreitet, wie das Christentum dies annimmt, sondern daß sie sich im Gegenteil in Kreisen um sich selber dreht. Es ist ein Buch, das zu unzähligen Deutungen Anlaß gegeben hat, und sie zu untersuchen ist in diesem Rahmen nicht möglich. Bleiben wir innerhalb der Grenzen dieser

Landung der Alliierten in Frankreich

Biographie: der glückliche Sisyphos entspricht ganz genau dem Bild, das ich von Camus aus jener Zeit bewahre.

Le Mythe de Sisyphe war schon seit ein paar Monaten erschienen, als ich endlich den Verfasser persönlich kennenlernte. Die Begegnung fand unter Umständen statt, die die Weltgeschichte meinem Gedächtnis eingeprägt hat. Eines Abends im Juni waren wir, ungefähr zehn Leute, bei dem großen Schauspieler und Regisseur Charles Dullin versammelt: Simone de Beauvoir, Maria Casarès, Armand Salacrou, Jean-Paul Sartre und andere mehr. Sartre hatte Camus mitgebracht, und da wir zu vorgerückter Stunde immer noch beisammen saßen, beschlossen wir, auch den Rest der Nacht bei unserem Gastgeber zuzubringen, denn keiner von uns besaß einen Passierschein. Einmal heulten die Sirenen Fliegeralarm. Nach einer Stunde ertönte die Entwarnung, dann bleichte die Morgendämmerung langsam den Himmel. Jemand drehte das Radio an – und plötzlich erfuhren wir im Morgengrauen, das sich über Paris erhob, daß die Alliierten an der Atlantikküste gelandet waren.

Ich sehe Camus' bleiches, müdes Gesicht noch vor mir. Nicht einer war in jenem Jahr unter uns, der nicht gezittert hätte beim Gedanken an den doppelten Kampf, den dieser Mann im Geheimen sowohl gegen die Krankheit als auch gegen die Besatzungsmacht führte. Sartre, die Großzügigkeit in Person, war am tiefsten betrübt darüber. «So jung, so gescheit, so schön – und krank! Wie ungerecht!» pflegte er zu sagen. Und nun wurde plötzlich deutlich, daß zumindest einer der beiden Kämpfe seinem Ende entgegenging und daß der Mensch, der für die Schöpfung und gegen das Absurde Partei ergriffen hatte, nun in Frieden würde schaffen können.

Indessen haftet nicht vor allem diese historische Minute in meinem Gedächtnis, sondern der Anfang des Abends, als wir ebenfalls um den Radioapparat herumsaßen, aber noch nichts wußten von den kommenden großen Ereignissen. Wir hörten London und die «persönlichen Botschaften», die an die Widerstandsbewegung gerichtet waren. Diese Botschaften betrafen Fallschirmabwürfe von Waffen oder Agenten und waren natürlich chiffriert, so daß diese Meldungen in Form von unverständlichen, ja völlig surrealistischen Sätzen durchgegeben wurden wie «Das Krokodil hat drei Mal auf den Teppich geniest» oder «Wir werden heute nacht alle im Mondschein tanzen». Die Notwendigkeit einer solchen Verschlüsselung sprang in die Augen. Indessen symbolisierten diese Botschaften nicht weniger den Infantilismus des Krieges, jedes Krieges, und die bedrückende Lage der erwachsenen Männer, die zu der unreifen Gewalt und ihrer kindischen Sprache Zuflucht nehmen mußten.

Natürlich richtete ich meine ganze Aufmerksamkeit auf Camus. Ich sah ihn, wie gesagt, zum ersten Mal und hatte weniger Lust, mit ihm zu sprechen, als ihn schweigend zu beobachten. Und plötzlich wurde mir ein überwältigender Gegensatz deutlich: auf der einen Seite der Infantilismus des Krieges und auf der anderen Camus' Gesicht, das die ganze Würde, den ganzen zärtlichen Ernst des Menschseins verkörperte. Auf der einen Seite das Absurde unseres Jahrhunderts und das Absurde schlechthin – auf der anderen der Mensch, der ihm ruhig die Stirn bot. Von dieser Minute an, wie die am 6. Juni 1944 begonnene Schlacht auch ausgehen mochte – und jene andere Schlacht, die der Mensch schließlich immer verliert –, stand der wahre Sieg außer Zweifel. Dieser klarblickende, ruhige Mann ohne Furcht und ohne Hoffnung würde ihn erringen. Gegen den Krieg, gegen das Absurde, gegen die Götter.

MENSCH, NUR MENSCH

Der Mensch ist vergänglich. Das mag sein; aber wir wollen widerstrebend vergehen und dem Nichts, wenn es unser wirklich wartet, keinen Anschein von Gerechtigkeit geben. (Senancour: «Obermann»)

Von Camus als Motto zum vierten *Brief an einen deutschen Freund* zitiert.

Camus war sehr bald nach Paris zurückgekehrt, und zwar berufen von dem Verleger Gallimard, dem er *L'Étranger* geschickt und der ihm sogleich eine Stelle als Verlagslektor angetragen hatte. Gleichzeitig hatte er sich ganz selbstverständlich der Widerstandsbewegung angeschlossen, und zwar der Gruppe «Combat», die in beiden Zonen tätig war.

Nachdem Paris seit dem 6. Juni in einer unbeschreiblich fieberhaften Atmosphäre gelebt hatte, erwachte die Stadt an einem Augustmorgen mit nagelneuen Zeitungen, die ungeachtet der letzten in der Hauptstadt wie in einer Falle sitzenden Deutschen ausgerufen wurden. Eine dieser Zeitungen trug das Lothringerkreuz und erregte besondere Aufmerksamkeit. Sie hieß «Combat», wie die bisher illegale Gruppe, deren Sprachrohr sie war, und ihr Untertitel lautete «De la Résistance à la Révolution» (Vom Widerstand zur Revolution). Auf der ersten Seite rief ein zündender Appell zur Befreiung der Stadt auf: *Paris feuert aus all seinen Waffen in die Augustnacht. In der gewaltigen Landschaft aus Stein und Wasser, rings um den geschichtsbeladenen Strom, erheben sich wiederum die Barrikaden der Freiheit. Wiederum muß die Gerechtigkeit mit dem Blut der Menschen erkauft werden.* (20)

Gewiß veröffentlichten alle anderen Zeitungen ähnliche Artikel, die sich nur durch den Stil unterschieden. Aber der anonyme Leitartikler von «Combat» war der einzige, der schon an diesem ersten Tag an das Morgen nach dem Aufstand dachte und versicherte: *In diesen furchtbaren Wehen wird eine Revolution geboren. Man kann nicht hoffen, daß Menschen, die vier Jahre lang im Schweigen und tagelang im Gedröhn des Himmels und der Gewehre gekämpft haben, bereit sind, die Mächte der Abdankung und der Ungerechtigkeit in irgendeiner Gestalt zurückkehren zu sehen.* Er war auch der einzige, der mitten im blinden Wüten des Kampfes daran erinnerte, daß der Kampf keinen Selbstzweck darstellte. *Die Zeit wird bezeugen, daß Frankreichs Männer nicht töten wollten, daß sie mit reinen Händen in einen Krieg getreten sind, den sie nicht gewollt hatten.*

Vierundzwanzig Stunden später rollten die ersten Panzer der Division Leclerc in die Hauptstadt. Der Leitartikler von «Combat» begrüßt dieses Ereignis und die *unvergleichliche Nacht*. Er gedenkt der gefallenen Kameraden und erinnert an den Sinn ihres Opfers. *Nichts wird den Menschen geschenkt, und das Wenige, das sie erobern können, muß mit ungerechtem Sterben bezahlt werden. Aber nicht darin liegt die Größe des Menschen. Sondern in seinem Willen, stärker zu sein als die Conditio humana. Und wenn die Conditio humana ungerecht ist, hat er nur eine Möglichkeit, sie zu überwinden: indem er selber gerecht ist.*

Aber die Tage vergehen, und obwohl der Ton sich gleich bleibt, wechseln die Themen. Der Krieg der Barrikaden ist endlich vorbei. Paris feiert seine Befreier. General de Gaulle übernimmt die Macht mit einem neuen Mitarbeiterstab. Da und dort beginnen Zwistigkeiten zwischen den Siegern. Die alten Methoden tauchen wieder auf ... Schon ist der Augenblick gekommen, da Kritik an die Stelle der Begeisterung treten muß.

Wir können die Kämpfe, die Camus 1944—1945 in «Combat» durchfocht, nicht im einzelnen verfolgen, dazu sind sie zu zahlreich, zu vielfältig und betreffen zu lange überholte Ereignisse. Eine der Tragödien jener Zeit war zum Beispiel die «Säuberung»: was sollte mit den französischen «Kollaborateuren» geschehen, die vier Jahre lang mit dem Feind paktiert

Paris ist frei!

hatten, sei es aus ehrlicher Überzeugung, sei es aus Gewinnsucht oder Freude an Denunziation oder gar aus Haß auf die eigenen Landsleute? «Combat» hatte einen schweren Stand: einerseits forderte die Zeitung Gerechtigkeit, und zwar eine um so strengere Gerechtigkeit, als ihr nichts Jenseitiges anhaftete; andererseits weigerte sie sich, zu einer Massensäuberung zu stehen, die nur ein politisches Manöver decken sollte. Die gleichen Schwierigkeiten ergaben sich auch in der Beurteilung der Aktion der Kommunistischen Partei: obwohl man sich vor der Wirksamkeit um jeden Preis hütete («der Zweck bestimmt die Mittel»), bekannte man sich nicht zu jenem grundsätzlichen Antikommunismus, der sich unmittelbar aus der bürgerlichen Vichy-Reaktion herleitete. Die Zeitung war bemüht, in allen Dingen das Maß zu wahren, außer wenn es um das Wesentliche ging. Am 8. August 1945 war «Combat» wiederum die einzige Zeitung, die inmitten des allgemeinen Begeisterungstaumels mit folgenden Worten zur Bombe von Hiroshima Stellung nahm: *Ein Satz genügt, um unsere Meinung zusammenzufassen: die Maschinenzivilisation hat soeben den höchsten Grad ihrer Verwilderung erreicht.*

Aber die heftigste Kritik behielt Camus der Presse selbst und den Journalisten vor. Auch da ging es um das Wesentliche, denn wenn es – nach wie vor! – so schlecht um die Welt bestellt war, so lag der tiefe Grund dafür im schwindenden Gewissen der Völker, das seinerseits durch die Wertlosigkeit seiner Informatoren bedingt war. Ganz offenkundig machte die Presse sich der Sünde der *Trägheit* schuldig. Sie entfernte sich mit großen Schritten von den während der Résistance aufgestellten Grundsätzen: eine klare, männliche Presse mit achtbarer Sprache. Es galt also, die Werte des Journalismus neu zu prüfen und die in diesem Beruf beschlossene Verantwortung zu betonen, um schließlich dem Land eine überzeugende Stimme zu schenken, *die der Tatkraft und nicht des Hasses, die der stolzen Unparteilichkeit und nicht der Rhetorik, die der Menschlichkeit und nicht der Mittelmäßigkeit.* Und der Leitartikler von «Combat» schlug eine richtige Charta der Presse vor. Gut informieren anstatt schnell, den Sinn jeder Meldung durch einen entsprechenden Kommentar klarlegen, einen kritischen Journalismus einführen und nie zulassen, daß die Politik über die Moral siegt oder daß die Moral ins Moralisieren verfällt – diese Grundsätze brachte er in seiner eigenen Zeitung zur Anwendung, während er sie seinen Kollegen zur Nachahmung empfahl. Um der ziemlich ironischen Wahrheit willen müssen wir hinzufügen, daß er sich genau daran hielt und Leser verlor, während seine Kollegen sich nicht darum scherten und Leser gewannen. So interessierte die Öffentlichkeit sich im November 1944 herzlich wenig für einen sachlichen Artikel über die Einnahme von Metz, wenn die anderen Zeitungen als Wichtigstes zu berichten hatten, daß Marlene Dietrich mit den Alliierten in die Stadt eingezogen war. Zwischen der Wirklichkeit des Krieges und den Beinen einer Diva zögerte das Publikum keine Sekunde.

Und doch können wir heute mit Sicherheit sagen, daß Frankreich

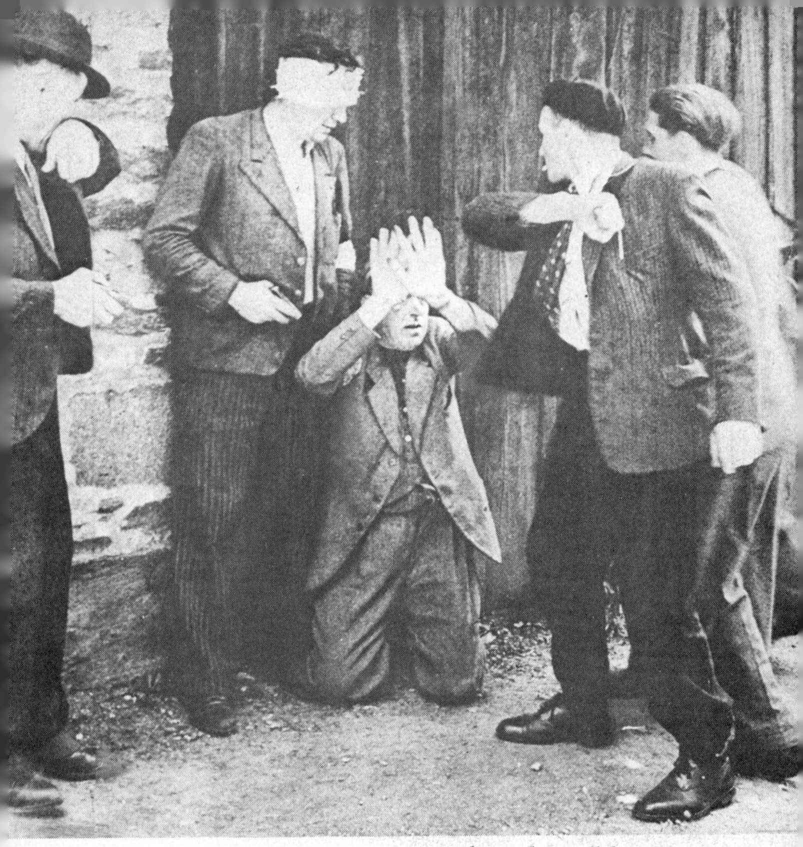

Rache an den Kollaborateuren

weder vorher noch nachher je eine Zeitung besessen hat, die sich in Haltung, Stil, Wert der Nachrichten, Interesse der Reportagen und tiefer Achtung vor dem Leser mit dem «Combat» jener Zeit vergleichen ließe.

Wer bildete denn den «Brain-Trust» dieses merkwürdigen Blattes, das man von der ersten bis zur letzten Zeile einfach lesen mußte? Es war vor allem eine Gruppe von Kameraden, die in einer beschlagnahmten Druckerei untergebracht waren und sich in ihrem Gehaben durchaus von dem üblichen Bild der «Pressemagnaten» unterschieden. So war zum Beispiel eine Zeitlang die Verwaltung im Gegensatz zu den Zeitungen auf der ganzen Welt die arme Verwandte der Redaktion. In den ersten Tagen wurde das einlaufende Geld – Verkaufsstellen, Straßenverkauf, Abonnements – einfach in einen Papierkorb geschüttet. Am Abend wurde dann gezählt und geteilt. Und die so unorthodoxe Zeitung besaß auch die entsprechenden Mitarbei-

Albert Camus feiert im Kreise seiner Mitarbeiter die erste Nummer des «Combat» nach der Befreiung

ter, angefangen beim Direktor, der höchst persönliche und erstaunliche Ideen hatte. Da er ein heiliges Grauen vor allen «Spezialisten» empfand, verteilte er die Rubriken nicht an Leute, die in diesem Fach groß geworden waren, sondern an Neulinge, die zwar wenig davon verstanden, dafür aber mit neuen Augen an ihre Aufgabe herantraten. So erhielt Sartre als Philosoph den Auftrag, eine Reportage über «Paris im Aufstand» zu schreiben, während Jacques Lemarchand, der so gut wie nie ins Theater gegangen war, mit der Theaterchronik betraut wurde und dabei Berühmtheit erlangte. Aber eigentlich wunderte man sich schon nicht mehr: die Pariser Presse kannte nachgerade diesen Direktor.

Ja, er hieß Pascal Pia. Er hatte – nachdem «Alger Républicain» wie vorausgesehen unter der Vichy-Regierung eingegangen war – Algier verlassen und, sich selber treu, im Widerstand mitgekämpft. Alles trieb ihn auf diesen Weg: sein klarsichtiger Patriotismus, seine liberale Gesinnung, sein Hunger nach Gerechtigkeit und sogar seine unbestreitbare Vorliebe für Mystifikation, die ihm mindestens einmal erlaubte, die Gestapo hinters Licht zu führen. Aber wenn Pia auch der Direktor von «Combat» war, die Leitartikel überließ er seinem algerischen Gefährten der Jahre 1937–1940, Albert Camus.

Camus, den Verfasser der Leitartikel, von Camus dem Schriftsteller zu trennen, wäre eine Beleidigung seines Andenkens. Den Journalistenberuf, von dem es in Frankreich heißt, er führe zu allem, vorausgesetzt, daß man ihn aufgebe, betrachtete er als ein edles Handwerk, so edel wie das des Romanciers oder des Dramatikers, und er übte es mit unbedingter Hingabe. Außerdem war er seit der Erfahrung beim «Alger Républicain» geradezu ängstlich darauf bedacht, sich an der ganzen Arbeit zu beteiligen. Die Zeiten waren vorbei, da er auf Reportage auszog und heroisch die Spesen niedrig hielt; aber die Arbeit in der Druckerei lag ihm ebensosehr, wenn nicht noch mehr am Herzen als die Arbeit am Schreibtisch. Roger Grenier, der Freund und Vertraute jener Jahre, entwirft Camus' Bild, wie er «an allen Besprechungen der Redaktion teilnimmt, die Artikel korrigiert, die Titel entwirft, den Satz überwacht». Er erwähnt seine Liebe zur Gemeinschaftsarbeit, seine Weigerung, die Leitartikel zu zeichnen. Während Camus neben den Maschinen den Umbruch prüft oder mit dem Typometer Linien zieht, umgibt ihn schweigender Eifer. «Alle Mitarbeiter in der Verwaltung oder in der Druckerei, alle, die ihm begegneten, selbst wenn sie seine Bücher nicht gelesen hatten, selbst wenn sie der Bücherwelt aus Neigung oder gezwungenermaßen fernstanden, spürten genau, wer Camus war, und fühlten sich durch den Umgang mit ihm gestärkt und bereichert.» (21)

Nach Mitternacht verließ Camus endlich «seine» Zeitung. Und ohne daß er es je erfahren hätte, ließen die jungen Redakteure sich dann einen Walzenabzug seines Artikels geben, um ihn im letzten noch offenen Café zu lesen und heiß zu diskutieren.

Nun konnte jedermann mit Camus' Stimme, die sich beherrschend im Aufruhr der «Befreiung» erhob, auch ein Gesicht verbinden: das Gesicht eines nunmehr berühmten Mannes, dessen Leben der Öffentlichkeit zu gehören begann. Allmählich erfuhr man alles über ihn, auch seine Tätigkeit während der dunklen Jahre, auch die quälende Krankheit, die ihn 1943 zu einem Kuraufenthalt im Massif Central zwang. Man wußte, daß er die *Lettres à un ami allemand* verfaßt hatte, um während der Besatzungszeit *den blinden Kampf, in dem wir standen, etwas zu erhellen und dadurch wirksamer zu gestalten.* (22) Ich habe bereits gesagt, daß diese Briefe eindeutig zwischen dem deutschen Volk – dem Dauernden – und den Nazis – dem Vorübergehenden – unterschieden. Aber in der furchtbaren Notwendigkeit, die uns zwischen 1940 und 1945 zwang, zumindest in der Tat das deutsche Volk mit seinen Herren gleichzusetzen, brachten diese Briefe auch ein paar unerläßliche Definitionen. Der Größe zum Beispiel: *Die einzige Größe eines Landes ist die Gerechtigkeit.* Oder des Heroismus, der zugleich bejaht und mit Mißtrauen betrachtet werden muß: *Wir bekennen uns dazu, weil zehn Jahrhunderte*

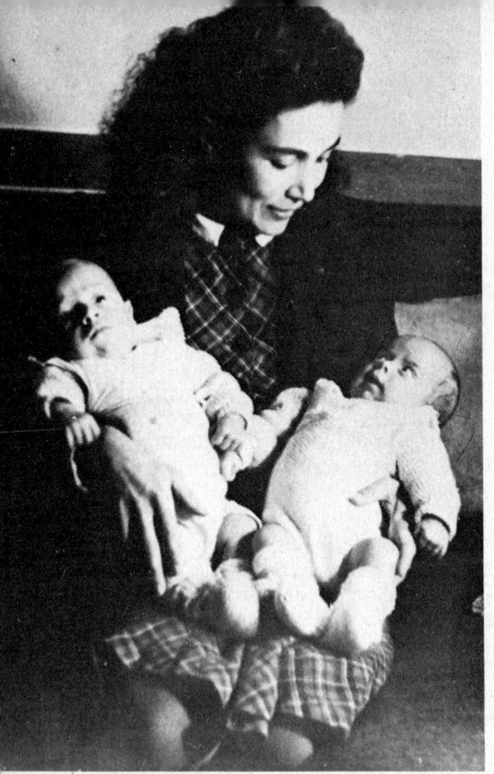

Francine Camus mit den Zwillingen Jean und Cathérine

der Geschichte uns das Wissen um alles Edle geschenkt haben. Wir mißtrauen ihm, weil zehn Jahrhunderte der Erkenntnis uns die Kunst und die Vorzüge der Natürlichkeit gelehrt haben. Im übrigen sagt er, *daß Heldentum etwas Geringes ist und Glück ein größeres Bemühen erfordert,* und versichert wiederum: *Ich glaube weiterhin, daß unserer Welt kein tieferer Sinn innewohnt.* Aber er bestreitet, daß man sich infolgedessen *mit den Göttern* in den Willen zur Macht flüchten müsse. Darin unterscheidet er sich von den Nazis: er entdeckt in ihnen seine ursprüngliche, aus der großen Leere der Schöpfung entstandene Verzweiflung, aber ihrem «also ist alles erlaubt, vorab das Erobern» setzt er entgegen, was der Dichter Scipio seinem Kaiser Caligula entgegenhält: *die Treue zur Erde. — Diese Welt besitzt zumindest die Wahrheit des Menschen, und unsere Aufgabe besteht darin, ihm seine Gründe gegen das Schicksal in die Hand zu geben. Und die Welt hat keine anderen Seinsgründe als den Menschen, und ihn muß man retten, wenn man die Vorstellung retten will, die man sich vom Leben macht. Ihr abschätziges Lächeln wird sagen: was heißt das, den Menschen retten? Ich aber schreie es Ihnen mit jeder Faser meines Wesens zu: es heißt, ihn nicht verstümmeln, und es heißt, der Gerechtigkeit, die er als einziger sich vorzustellen vermag, ihre Chance gewähren.*

Unterdessen begann Frankreich sich wieder zu erheben, und dieses Volk, das wie alle Völker seine Fehler hat, das aber dank dem Lächeln seines Klimas nicht zum Ressentiment neigt, hatte nur den einen Wunsch, den Krieg zu vergessen. Alles, was er aufgehoben hatte, wurde wieder aktuell. Sogar die «Algerische Schule» erstand neu. Sie machte sich daran, Paris zu erobern — auch der Buchhändler-Verleger Charlot war dorthin gezogen — und ihre sonnendurchdrungene Metaphysik den Bürgern der Republik der Literatur anzutragen, das heißt den Bewohnern von Saint-Germain-des-Prés. Dort fand sie eine scharfe Konkurrenz in der existentialistischen Schule mit ihren Häuptern Sartre und Simone de Beauvoir. Innerhalb weniger Monate hatte der Existentialismus Paris überflutet. Sartre war ein Gott geworden. An seinem Tisch im Café de Flore, dessen Besitzer die Touristen unbedenklich auf ihn aufmerksam machte, sah «das Männchen» — wie seine engen Freunde ihn nennen — durch seine dicken Brillengläser hindurch die leidenschaftliche Neugier der intellektuellen Welt heranbranden. So intellektuell war sie übrigens gar nicht immer. Abgesehen von der kleinen Schar Erwählter wußte das breite Publikum nicht recht, ob der Existentialismus nun eine Philosophie war oder eine neue Mode, sich die Haare nicht zu schneiden. In diesem Zusammenhang stellte Juliette Gréco unbestreitbar eine Muse dar. Sie herrschte in einem zwanglos gekleideten Olymp, der nicht hoch oben, sondern tief unten tagte, in der Tiefe der Keller, die von schlauen Hausbesitzern des Viertels schleunigst in Jazz-Tempel verwandelt worden waren. In einer solchen Krypta, dem «Tabou», unter den hektischen Burschen und langhaarigen Mädchen, im Aufbrüllen der Trompete, in die Boris Vian mit der ganzen Kraft seines kranken Herzens blies, entdeckte Juliette Gréco eines Abends in Rauch und Getöse einen großen jungen Mann mit blauem Hemd und Trenchcoat. «Nicht möglich! ER tanzt!» Und warum hätte Camus nicht tanzen sollen?

Aber eigentlich tanzte er nicht. Ich meine damit, daß das große Ballett des Nachkriegs ihm seine zu starren Figuren nicht aufzwingen konnte. Die «Algerische Schule» wußte, daß er zu groß war für sie, und er lehnte den Existentialismus ab, in dem er *ein großes Abenteuer des Geistes* sah, *dessen Schlußfolgerungen falsch sind.* (23) Was immer Camus anstreben mochte, er war allein — und war sich der Unannehmlichkeiten einer solchen Einsamkeit sehr wohl bewußt. Denn das ewige Gesetz bewahrheitete sich von neuem, und schon zogen die Sieger die Uniform der Besiegten an. Nach einem langen und fürchterlichen Krieg für die Freiheit begann man bereits wieder, die Vorteile der Herde zu entdecken. In jenen Tagen von 1945 hörte ich einmal im Café de Flore, wie ein Bilderhändler einen seiner Freunde über einen vielversprechenden jungen Maler ausfragte. «Was ist er? Christlich-Demokrat?» — «Nicht doch.» — «Also Kommunist?» — «Nicht doch.» — «Wie? Weder Christlich-Demokrat noch Kommunist? Aber irgend etwas muß er doch sein?» In dieser Beziehung war Camus nichts. Früher oder später sollten seine Freunde ihm dies zum Vorwurf machen, während seine Feinde um abschätzige Formulierungen nicht verlegen waren. Ein keiner Parole Höriger ist immer verdächtig, vor allem in Paris, wo ein Witzwort genügt, um alles abzutun. So hieß es: «Vorfabriziertes Gewissen» oder «Der Mann mit dem Gewissen zwischen den Zähnen».

Der geringe Erfolg von *Le Malentendu* war natürlich Balsam auf die Wunden manch eines Literaten, aber die Atempause dauerte nicht lange. 1945 wurde die Aufführung von *Caligula* im Théâtre Hébertot

Jean-Paul Sartre

ein Triumph. Der Wahrheit und der Freundschaft zuliebe muß gesagt werden, daß an diesem Triumph auch der Hauptdarsteller beteiligt war, ein noch junger Schauspieler am Anfang seiner Laufbahn: Gérard Philipe. Als wahnsinniger Caligula, der den Mond herabfleht, der den Spiegel zerbricht, versetzte Gérard Philipe die Zuschauer in rasende Begeisterung. Er war kaum über zwanzig. Ein Diktionslehrer hatte ihm prophezeit, seine näselnde Stimme werde ihm den Zutritt zur Bühne untersagen. Aber Gérard Philipe war ein genialer Schauspieler. Schwärmerisch, begnadet, intelligent, vereinte er in sich alle Vorzüge: ein schönes und gleichzeitig ausdrucksvolles Gesicht, weich und männlich, einen den Idealen der Bühne wunderbar entsprechenden Wuchs. Muß ich hinzufügen, daß seine menschlichen Eigenschaften und vor allem seine kompromißlose Reinheit denen des Darstellers gleichkamen? Camus und er waren vom ersten Tag an Freunde. Sicher wurde der Satz «wir haben das ganze Leben vor uns und werden gemeinsam große Dinge unternehmen» nie ausgesprochen. Und doch erschauern wir beim Gedanken, daß sie beide weniger als fünfzehn Jahre später in einem Zeitraum von sechs Wochen sterben sollten.

Der gewaltige Erfolg von *Caligula* kam in einem schwierigen Augenblick: der heftige Streit um den Pessimismus war entbrannt, der von den Christen wie von den Marxisten beschuldigt wurde, er bringe der Menschheit eine «Philosophie der Entmutigung». Die ersten Schläge waren von dem marxistischen Wochenblatt «Les Lettres Françaises» gegen Sartre geführt worden, der nun plötzlich der Bürgerlichkeit bezichtigt wurde, in Wirklichkeit aber für die kommunistische Partei untragbar war, weil er zwar sehr links stand, aber kein Stalinanhänger war. Dann folgte der massive Angriff: nieder mit den «negativen» Helden! Hoch leben die «positiven» Helden! So ertönte der Kriegsruf einer ganzen Armee von Schreiberlingen, die sich plötzlich in erbittert «optimistische» Pfadfinder verwandelt hatten. «Muß Kafka verbrannt werden?» fragte die Zeitung «Action» ohne mit der Wimper zu zucken, und es hagelte sorgfältig gelenkte Antworten: «Ja, Kafka muß verbrannt werden und mit ihm die ganze historische und metaphysische Angst, die den Gewißheiten feind ist.» In der Tat, wie konnte sie fortbestehen in einer von Jesus und Karl Marx erleuchteten Welt, in der es genügte, zwischen zwei Formeln zu wählen, damit «das Morgen von Liedern erfüllt» wurde? Die «pessimistischen» Schriftsteller bestritten, daß die Wahl so einfach sei, und lehnten den philosophischen Quietismus ab. Sie verteidigten also die moralische und intellektuelle Unordnung, die Zerstörung aller sicheren Werte, die Verzweiflung; sie waren demnach, wie ihnen ganz unverblümt erklärt wurde, verkappte Nazis.

Juliette Gréco

Camus konnte sich in diesem Streit nicht abseits halten, denn er rührte an den Kern seines Wesens und seines Werks. Natürlich ließ er sich nicht täuschen. Die Intellektuellen von Saint-Germain-des-Prés mochten sich im Schatten ihrer Kaffeehäuser und des Glockenturms ihrer Provinz lange als Mittelpunkt der Schlacht fühlen, die Schläge und die Losungen wurden woanders ausgeteilt: in den Laboratorien der Politik, in den Stäben der Parteien. Es ging für jede dieser Parteien darum, in den ersten Tagen der bereits wackeligen Vierten Republik die Einheitspartei, der Diktator zu werden. Es ging darum, die Reihen aufzufüllen, die Verirrten, alle, die nicht «irgend etwas» waren, und in erster Linie die Zweifler an der Zukunft, die nicht daran glaubten, daß die Geschichte von vornherein festgelegt sei, zur Herde zurückzuführen. Zu diesem Zweck waren alle Mittel recht: der marxistische Leitartikler von «L'Humanité» schrie «Verrat», der christliche Leitartikler von «L'Aube» führte Nietzsches Philosophie auf einen uneingestandenen Hang zur Unzucht und den Existentialismus auf eine durchtriebene Verachtung der Existenz zurück. Kafka ein Ketzer, Nietzsche ein skeptischer Genießer, Heidegger ein Possenreißer – es bestand in der Tat kein Grund, die «verzweifelten, Verzweiflung und Verderben bringenden» Schriftsteller nicht an den Pfahl der Verräter zu binden, nachdem sie ein Jahr zuvor mit knapper Not den anderen Pfählen entgangen waren, die von der Besatzungsarmee auf dem Mont Valérien errichtet wurden.

Diese Sophismen, diese Lügen wurden von Camus ungesäumt in «Combat» widerlegt. Er rückte mit wenigen Zeilen die Dinge zurecht: *Wir glauben, daß wir die Wahrheit dieses Jahrhunderts nur finden können, indem wir seiner eigenen Tragödie auf den Grund gehen. Wenn die Epoche an Nihilismus leidet, finden wir die Moral, die wir brauchen, nicht, indem wir den Nihilismus unter den Tisch wischen. – Die Tatsache, daß bei ein paar Menschen eine Philosophie der Verneinung mit einer positiven Moral zusammenfällt, bildet in Wahrheit das große Problem, das unsere ganze Epoche schmerzlich erschüttert ... Es ist ein Problem der Entwicklung, und uns geht es darum zu erfahren, ob der Mensch ohne die Hilfe des Ewigen oder des rationalistischen Denkens, auf sich selbst gestellt, seine eigenen Werte schaffen kann ... Um eine Kultur zu schaffen, genügt es jedoch nicht, mit dem Lineal auf die Finger zu klopfen. Es braucht dazu die Gegenüberstellung der Ideen, das Herzblut des Geistes, den Schmerz und den Mut.*

Indessen erforderte das Problem eine genauere Umschreibung, der Camus sich denn auch nicht entzog. Am 15. März 1945 stellte er in einer Ansprache anläßlich eines Meetings im großen Saal der «Mutualité» unter Beweis, daß in dieser Zeit der Befreiung, da Frankreich sich selbst das wohlgefällige Bild eines heiligen und reinen, von seinen Fesseln befreiten Opfers bot, die Lüge und der Haß weiterbestanden. *Und vielleicht bedeuten die zurückbleibenden schändlichen Male in den Herzen der Menschen, die das Hitlertum mit aller Kraft bekämpft haben, gerade dessen letzten und dauerhaftesten Sieg ... Der Haß der Henker hat den Haß der Opfer hervorgerufen ... Aber damit gehorcht man wiederum dem Gesetz des Feindes ... Es gilt, die vergifteten Herzen zu heilen. Und morgen werden wir den schwersten Sieg, den wir über den Feind zu erringen haben, in uns selbst erkämpfen müssen, dank jener höherstrebenden Anstrengung, die unser Verlangen nach Haß in Verlangen nach Gerechtigkeit verwandeln wird ... Und schließlich müssen wir unser politisches Denken erneuern. Was bedeutet das, genau besehen? Es heißt, daß wir den*

Gérard Philipe

Geist bewahren müssen ... Und es gibt keine Freiheit ohne gegenseitiges Verständnis.

Als Camus diese Worte sprach, wußte er bereits, daß «Combat» verurteilt war. Der schöne Traum einer wirklich erwachsenen Presse hatte sich nur ein einziges Mal in einer einzigen Zeitung und für eine kurze Spanne Zeit verwirklicht. Die zufallsgebundene hektische Nachrichtenvermittlung erdrückte den Kommentar. Die Zeitungsstände wurden von einer nur auf Zerstreuung ausgerichteten Presse überflutet. Die Leser belustigten sich an dem malerischen Weinskandal (ein Ministerpräsident mit schmutziger Weste) und ließen sich von den wirklichen Skandalen nicht beeindrucken: der in Dijon gelynchte «Kollaborateur», dem ein Vierzehnjähriger die Augen ausstach, die Schieber der Besatzungszeit, die gedeckt wurden, während man Brasillach an die Wand stellte, die madagassischen Rebellen, die mit dem Segen eines «christlichen» Prokonsuls ermordet wurden. Bald sollte «Combat» wegen Geldschwierigkeiten Camus und Pia entrissen werden; jeder Zwischenfall konnte die Entwicklung überstürzen. Und dieser Zwischenfall ereignete sich im Februar 1947 mit dem Streik der Drucker. Als «Combat» in andere Hände übergegangen war, als «Combat» eine Zeitung «wie alle anderen» geworden war, stellte sich nur noch die eine große Frage: wie kam es, daß die Résistance sich selbst verraten hatte? Wie war es möglich, daß Männer, die unter Einsatz ihres Lebens gegen Hitlers Autodafés gekämpft hatten, nun Kafkas Werke auf den Scheiterhaufen werfen wollten? Natürlich befaßte sich keine Zeitung mit dieser Frage, und die literarischen Werke gaben nur beiläufige Antworten. Sartre war von wütendem Schaffensdrang befallen und verlor sich im Labyrinth der «Chemins de la Liberté», die schließlich Fragment blieben; seine «Morts sans Sépulture» waren eingestandenermaßen nur eine tragische Anekdote. Simone de Beauvoirs «Le Sang des Autres» befaßte sich nur mit einer Einzelheit, nämlich der Verantwortung der Widerstandskämpfer angesichts der Notwendigkeit, andere zu opfern; und Roger Vaillands «Drôle de Jeu» war nur ein heroisch-ausschweifendes Sittenbild. Was fehlte allen diesen Werken, die doch so bemerkenswert waren und — wenigstens was Sartre und Beauvoir angeht — eine bestechende Technik zeigten? Natürlich ein Mangel an Abstand. Nicht so sehr ein zeitlicher Abstand wie etwa bei Erich Maria Remarque, der «Im Westen nichts Neues» zehn Jahre nach dem Krieg schrieb, als jener innere Abstand, der zur Zusammenschau der Ereignisse führt und sie in den Bereich des Mythischen erhebt. Die Résistance bedurfte kurz gesagt eines echten Kunstwerks, das sie auszudrükken vermochte. Vom Ereignis Abstand nehmen, es in ein allegorisches Geschehen umsetzen, das um so weniger verlogen war, als es erlaubte, die Geschichte im Licht des Mythos zu sehen, die Tragödie jener vier Jahre sub specie aeternitatis darzustellen, das heißt, sie durch die Umsetzung in Raum und Zeit für alle Generationen einmalig und beispielhaft zu gestalten, ohne sie für alle, die sie miterlebten, zur Unkenntlichkeit zu entstellen — das war es wohl, was wir alle unbewußt von einem Schriftsteller erwarteten, der mehr Einfühlungsvermögen besaß als die anderen. Es bedurfte der Fabel und der Erzählung, der Legende und der Chronik. Es war nötig, die Résistance ins Surreale auszuweiten, ohne dabei die Berührung mit dem Realen zu verlieren. Es galt, die beiden Elemente des Lebens zu verbinden: die Sonne und die Geschichte.

Unsere Erwartung wurde nicht enttäuscht. 1947 erschien *La Peste (Die Pest)*.

Simone de Beauvoir

La Peste spielte in Oran, einer *ganz gewöhnlichen Stadt*, einer *reiz-, pflanzen- und seelenlosen Stadt*, die Camus auf vier Seiten in dieser beinahe ausschließlich negativen Art beschreibt, als handelte es sich nicht um Menschen, Landschaft und Mauern, sondern um die Leere, die sie kennzeichnet, die Erwartung, die sie umgibt. Welche Erwartung? Natürlich die des Todes. Aber sterben heißt in Oran einfach aufhören zu leben. Nach einem schicksallosen Dasein, das ganz aus Gewohnheiten besteht, aus Arbeit, Liebe, Kartenspiel und Klatsch, ohne die geringste *Ahnung von etwas anderem* – und darin ist Oran *eine ganz moderne Stadt* –, gleitet man in einem unbehaglich trockenen Klima unauffällig vom Sein ins Nichtsein. Was dieser Stadt fehlt, ist eben das Gefühl für den Tod. *Am Morgen des 16. April* taucht es mit den Pestratten auf, die scharenweise aus den Abwässerkanälen hervorkommen, um auf offener Straße zu verenden. Jäh hört der Tod auf, eine Gewohnheit unter anderen und eine Gewohnheit der anderen zu sein. Er geht uns alle an, er wird zur Tragödie.

Da es sich um eine Tragödie handelt, wollen wir zunächst die handelnden Personen betrachten. Da ist vor allem der Arzt Bernard Rieux, der an jenem Aprilmorgen über die erste tote Ratte stolpert. Er ist ungefähr fünfunddreißig Jahre alt, mittelgroß, immer barhäuptig, *mit wissender Miene*. Er ist der Sohn eines Arbeiters und praktiziert in einem ärmlichen Viertel, wo er mit seiner Mutter und seiner Frau lebt; doch ist diese todkrank und muß gleich zu Beginn nach Frankreich in ein Sanatorium fahren. Ein Charakterzug: in der Ausübung seines Berufs und in seinem Umgang mit Nachbarn, Kollegen oder Patienten, legt er immer eine *gewisse Zurückhaltung* an den Tag, die häufig als Gleichgültigkeit empfunden wird. Rieux gehört zu den Leuten, die überzeugt sind, daß es vor allem darauf

Pestbegräbnis in Florenz

ankommt, seinen Beruf nach besten Kräften auszuüben. «Sein jeder Romantik barer Kampf bewegt sich absichtlich im alltäglichsten Rahmen: der Beruf, die unmittelbar zweckvolle Gebärde.» (24) Was soll man von einem Arzt halten, der der Frau eines Patienten einfach erklärt: *Er ist tot?* Höchstens, daß dieser Mann ein dürres, blasiertes Herz hat oder aber ein Geheimnis. Und Rieux hat in der Tat ein Geheimnis: er hat sich nie mit dem Tod der Menschen und mit seiner eigenen Ohnmacht ihm gegenüber abfinden können. Seine Zurückhaltung ist ein Protest gegen die Ungerechtigkeit einer Welt, deren Baumeister abwesend ist und deren Geschöpfe blind leiden, ohne Unterlaß und ohne Hoffnung.

Auch Jean Tarrou ist ein Mann mit einem Geheimnis. Doch trägt er wenigstens sein Rätsel offen zur Schau. Jean Tarrou, ein *noch junger Mann von schwerfälliger Gestalt, mit einem wuchtigen, hageren Gesicht und buschigen Brauen,* ist eines Tages in Oran aufgetaucht, ohne daß man erfahren hätte, warum oder woher. Jedenfalls ist er nicht mittellos, denn er arbeitet nicht, lebt allein und verbringt seine Zeit damit, umherzustreifen, zu baden, die Bewohner der Stadt zu beobachten und ihre Eigenheiten in einem Tagebuch zu vermerken, das offensichtlich das Notizbuch zu einem nie geschrie-

benen Werk darstellt. Was er verbirgt, ist ein fürchterliches Erlebnis. Tarrous Vater war Staatsanwalt. Er plädierte gegen die Verbrecher und forderte ihre Verurteilung zum Tode. Ein Lieferant des Schafotts, ein Halsabschneider. An dem Tag, da Tarrou das merkt (im Verlauf eines Prozesses, zu dem sein Vater ihn eingeladen hatte und bei dem er den Angeklagten lange betrachtet, den kleinen, beinahe unbehaarten Mann, der aussah wie eine rote Eule), begreift er auch, warum sein Vater in gewissen Nächten so früh aufsteht. Und er entflieht. Er fühlt sich «verpestet». Die Unmenschlichkeit der Verurteilung zum Tode verfolgt ihn, und seitdem er in Ungarn der Hinrichtung eines Menschen beigewohnt hat, lebt er im Grauen. Aber gleichzeitig faßt er den unabänderlichen Beschluß, *alles abzulehnen, was von nah oder von fern, aus guten oder schlechten Gründen tötet oder rechtfertigt, daß getötet wird.*

Joseph Grands Geheimnis ist viel bescheidener. Der fünfzigjährige Angestellte des Bürgermeisteramts mit dem lächerlich geringen Gehalt, den seine Frau verlassen hat, weil sie seiner Mittelmäßigkeit überdrüssig war, lebt nur noch im Gedanken an das große Romanwerk, das zu schreiben er unternommen hat, in das er sich Abend für Abend stürzt und über dessen ersten Satz er nie hinausgelangt ist: *An einem schönen Morgen des Monats Mai durchritt eine elegante Amazone auf einer wunderbaren Fuchsstute die blühenden Alleen des Bois de Boulogne.* Hundertmal wird der Satz umgemodelt, und hundertmal ermißt Joseph Grand, der Sisyphos der Feder, welche Weite ihn noch von der Vollkommenheit des Ausdrucks trennt, dank der ein Verleger einmal bewundernd ausrufen wird: *Hut ab, meine Herren!*

Die vierte Gestalt, die hier zu erwähnen ist, besitzt schließlich ein noch einfacheres Geheimnis. Raymond Rambert, ein junger Journalist, der wegen einer – übrigens vereitelten – Reportage vorübergehend in Oran weilt, hat nur den einen Gedanken, nach Paris zu seiner Geliebten zurückzukehren. Liebe und Glück sind die einzigen Belange seines Lebens.

Und nun hebt sich der Vorhang, und die Ratten verpesten die Stadt. Wie nicht anders zu erwarten stand, begegnet man ihnen zuerst ungläubig. Wie sollte im 20. Jahrhundert eine so mittelalterliche Seuche eine so moderne Stadt befallen können? Was die Stadt nicht weiß, ist jedoch, daß die Welt zu keiner noch so fortschrittlichen Zeit gegen ein Aufflammen des Übels oder der Barbarei gefeit ist, und auch daß die Leere der Oraner Tage und Menschen mit dem trügerischen, ungesunden, ungenützten Frieden die Pest durch ihre Bedeutungslosigkeit herbeirief. Die Oraner wußten nicht einmal, was das Glück des Lebens ist. Die Pest wird sie lehren, was das Unglück des Sterbens ist. Sie ist da, die Körper bedecken sich mit Beulen, mit Fieberschweiß; Sterbende röcheln. Also versucht man sie mit sprachlichen Kunststücken zu bannen. Es handelt sich nicht um die Pest, sondern um eine unbekannte, vorübergehende, gutartige Krankheit. Die Ratten? *Bei Tisch spricht man nicht von Ratten,* weist der strenge Richter Othon seine Kinder zurecht. Nur Doktor Rieux, der doch selber gerne zweifeln möchte, und ein alter, beschlagener Arzt, Dr. Castel, wagen das Phänomen bei Namen zu nennen. Ihre Mitbürger *schlossen auch weiterhin Geschäfte ab, bereiteten Reisen vor und hatten eine Meinung ... Weil die Plage das Maß des Menschlichen übersteigt, sagt man sich, sie sei unwirklich, ein böser Traum, der vergehen werde. Aber er vergeht nicht immer, und von bösem Traum zu bösem Traum vergehen die Menschen, und die Menschenfreunde zuerst, weil sie sich nicht vorgesehen haben.* Der endlich in der Präfektur einberufene Sanitätsrat versucht wiederum, schlecht und recht die Wirklichkeit abzustreiten. Als Dr. Castel das schicksalhafte Wort ausspricht, springt der Präfekt auf und wendet sich unwillkürlich zur Tür, *als wollte er sich vergewissern, daß sie diese Ungeheuerlichkeit daran hinderte, in die Gänge hinauszudringen.*

Aber während Oran sich noch in falscher Sicherheit wiegt, schickt die übrige Welt, die noch nicht von der Geißel heimgesucht wird, sich an, das Verschwommene deutlich zu machen. So wird eines Morgens auf höheren Befehl die Stadt in Quarantäne erklärt und geschlossen. Niemand darf sie betreten oder verlassen. Die Güter der Welt gelangen nicht mehr bis zu ihr, sie muß abgeschlossen leben.

«Der Doktor Schnabel von Rom». Römischer Pestarzt in seiner Schutzkleidung, 1656. Kupferstich von Paul Fürst nach J. Columbia

Einschränkungen, Entbehrungen, Schwarzhandel. Der Belagerungszustand wird verhängt. *Wollte man ein genaues Bild von der geistigen Verfassung haben, in der sich die Getrennten unserer Stadt befanden, müßte man wieder die endlosen, goldenen und stauberfüllten Abende beschreiben, die sich über die baumlose Stadt niedersenkten, während Männer und Frauen in alle Straßen strömten. Denn was dann zu den noch sonnigen Terrassen emporstieg, während der Lärm der Fahrzeuge und Maschinen verstummte, die gewöhnlich die ganze Sprache der Städte bilden, das war seltsamerweise nur ein gewaltiges Rauschen von Schritten und Stimmengemurmel, das schmerzliche Gleiten von tausend und aber tausend Schuhsohlen im Takt des pfeifenden Dreschflegels am schwer lastenden Himmel; ein endloses, erdrückendes Stampfen schließlich, das langsam die ganze Stadt erfüllte und Abend für Abend dem blinden Eigensinn, der in unseren Herzen damals die Liebe ersetzte, seine getreulichste und trübseligste Stimme lieh.*

Indessen gibt es zwei Menschen, denen die Pest nicht ungelegen kommt, wenn auch aus sehr verschiedenen Gründen. Der eine ist der merkwürdige Cottard, der am Vorabend der Seuche versucht hat, sich einer geheimnisvollen Anschuldigung wegen zu erhängen; er lebt wieder auf, sobald das Leben seiner Mitbürger bedroht ist. Dieser hintergründige Mensch kann nur in Katastrophen leben: sein persönliches Unglück verwandelt sich angesichts des Unglücks der anderen in Glück. Die Verzweiflung überbietend, stürzt er sich dem Nihilismus in die Arme – und findet seinen Vorteil dabei. Der andere ist der redegewandte Jesuitenpater Paneloux, für den die Pest eine Züchtigung, das heißt ein Werk der Gerechtigkeit darstellt. Von der Kanzel herab fährt er die schwankenden Gläubigen an, die sich in der Kirche eingefunden haben, weil «es auf keinen Fall schaden kann», und zwingt sie in die Knie: *Meine Brüder, ihr seid im Unglück, meine Brüder, ihr habt es verdient ... Zu lange hat diese Welt sich mit dem Bösen vertragen, zu lange hat sie sich auf das göttliche Erbarmen verlassen.* Wir erraten das Weitere und ahnen, daß diesen beiden Resignierten gegenüber – dem «Kollaborateur», der sich im trüben Wasser wohlfühlt, und dem Priester, für den die Welt nur ein gewaltiger, endlich vor Gericht gekommener Prozeß der Seelen ist – der Widerstand seine Gruppen zu einem tätigen Netz zusammenschließt, das heißt Sanitätsmannschaften aufstellt. Denn man muß *auf die eine oder andere Art kämpfen und nicht auf die Knie fallen.*

Diese Gruppierung findet, wie ohne weiteres klar wird, in einem einzigen Menschen statt. Ob Rieux oder Tarrou, Grand oder Rambert, es ist immer Camus, der sich sammelt. Von Rieux hat er die geduldige Demut gegenüber dem täglichen Handwerk und die auflehnende Zurückhaltung (wie auch die alte Mutter und den Arbeiter als Vater); mit Tarrou teilt er das Verlangen nach Einsamkeit, nach stolzem Umherirren, die Beobachtungsgabe, die Freude am Baden im Meer, den Haß auf die Todesstrafe; Grands unglückliche Liebe zum Schreiben bildet das ironische Gegenstück zu seiner Suche nach einer *unsichtbaren, das heißt verkörperten Stilisierung;* und schließlich – abgesehen von dem Detail der Reportage über die Lebensbedingungen der Araber – spricht aus Rambert wiederum Camus, wenn er Liebe und Glück an die oberste Stelle der erstrebenswerten Güter stellt. Ist es Rambert oder Camus, der sagt: *Ich habe genug von den Leuten, die für eine Idee sterben. Mich interessiert nur noch, von dem zu leben und an dem zu sterben, was ich liebe.* Wie man sieht, ein erstaunliches Abenteuer, in dem ein Schriftsteller seinen Roman aus seinen eigenen inneren Widersprüchen schöpft und sich in mindestens vier Spiegeln widerspiegelt. Das Bewundernswerte dabei ist, daß das «Erkenne dich selbst» so klarsichtig alle Gründe der Tat darlegt und

gleichzeitig so überzeugend den Gründen der Untätigkeit gerecht wird. Rieux hat von dem Elend — auch eine Gemeinsamkeit mit Camus — gelernt und im Umgang mit seinen Kranken erkannt, daß die Siege eitel und *immer vorläufig* sind und daß die Pest für ihn nur eine *nicht endenwollende Niederlage* bedeutet, aber auch daß der Mensch das Bemühen um seine Rettung erfordert. Tarrou kommt ihm spontan mit seiner *Moral des Verstehens* zu Hilfe, doch geschieht dies nicht ohne Hintergedanken: sein Geheimnis besteht in einem maßlosen Ehrgeiz, nämlich ein Heiliger außerhalb des Glaubens und der Kirche zu werden. *Kann man ohne Gott ein Heiliger sein? Das ist das einzige wirkliche Problem, das ich heute kenne.*

Für Joseph Grand, den der Erzähler *mehr als Rieux und Tarrou* als den *wahren Vertreter jener stillen Kraft* bezeichnet, *die die Sanitätsgruppen beseelte,* gibt es keinen anderen Ehrgeiz als den des aktiven Parteimitglieds: *Da ist die Pest, man muß sich wehren, das ist klar. Ach wenn doch alles so einfach wäre!* Und Rambert schließlich scheint Camus nur mit einem ergreifenden Bedauern in den Widerstandskampf einzubeziehen. Während der ersten zwei Drittel des Buches unternimmt er unablässig Fluchtversuche. Als geborener Deserteur wünscht er mit aller Kraft, aus der Stadt zu entkommen, seine Geliebte wiederzufinden. Er ist jeder Heuchelei bar und erklärt seinen Gefährten seine Gründe, ohne sie zu beschönigen. Und die anderen pflichten ihm bei. Wie denn auch nicht? Wenn ihr Kampf wirklich das Glück der Menschen zum Ziel hat, wie sollten sie dann nicht zugeben, daß inmitten des Kampfes ein solches Glück Zeugnis ablege für dessen Fortbestand und Wünschbarkeit? Und doch wird Rambert trotz seiner beharrlichen Bemühungen Tag um Tag auf geheimnisvolle Weise in der Stadt festgehalten, bis er schließlich erkennt: *Man kann sich schämen, allein glücklich zu sein.* Und er beschließt, bei den Sanitätsmannschaften zu bleiben. *Ich habe immer gedacht, ich sei fremd in dieser Stadt und habe nichts zu tun mit euch. Aber jetzt, nachdem ich das alles gesehen habe, weiß ich, daß ich hierher gehöre, ob ich es will oder nicht. Diese Geschichte geht uns alle an.*

Es hat keinen Sinn, den Inhalt des Romans hier zusammenzufassen und so einen schwerfälligen Abklatsch der Chronik zu geben. Es ist klar, daß sie die Ereignisse der Kriegszeit auf Camus' Weise umsetzt, das heißt gemäß dem Grundsatz Daniel Defoes: «Es ist ebenso vernünftig, eine Art Gefangenschaft durch eine andere darzustellen, wie irgend etwas wirklich Vorhandenes durch etwas, das es nicht gibt», den er als Motto der *Pest* voransetzt. Innerhalb des Gefängnisses, zu dem Oran geworden ist und wo Menschen ebenso leicht umgebracht werden wie Fliegen, herrscht die unerbittliche Logik des Terrors. Alles findet sich hier: Egoismus, Wahnsinn, Versuche einer Flucht ins Übernatürliche — eine Anspielung auf die während der Besetzung in Frankreich beliebte «Prophezeiung der hl. Ottilie» —, Geschäftemacherei, Schieber, Kuhhändel, Papierkrieg und Verwaltungsschikanen und sogar burleske Szenen wie etwa der Streit zwischen den «Pestkämpfern» und den «Ehemaligen Frontkämpfern» wegen der

Orden – eine Anspielung auf die zuweilen auftretenden Schwierigkeiten zwischen den Widerstandstruppen und den regulären Einheiten.

Die eigentliche Tragödie spielt sich in den Seelen ab wie etwa in Pater Paneloux. Sein blinder Glaube an die göttliche Gerechtigkeit hält der Wirklichkeit der Heimsuchung nicht stand. Vor seinen Augen liegt ein Kind im Sterben; es ist ein fürchterlicher, unmenschlicher Todeskampf. *Paneloux schaute diesen von der Krankheit beschmutzten, vom Schrei aller Zeiten erfüllten Kindermund an. Und er ließ sich auf die Knie gleiten, und alle fanden es natürlich, als sie ihn mit etwas erstickter, aber trotz der namenlosen unaufhörlichen Klage deutlicher Stimme sagen hörten: «Mein Gott, rette dieses Kind!»* Das Kind aber wird nicht gerettet, und zum ersten Mal begreift Paneloux die Wahrheit eines anderen Schreis, den Rieux ihm entgegenschleudert: *Ah! der wenigstens war unschuldig, das wissen Sie wohl!* Umsonst sucht er Zuflucht bei der Gnade, die erlaubt, *zu lieben, was wir nicht verstehen können.* Umsonst beteiligt er sich heldenmütig an dem ganz irdischen Kampf der Sanitätsgruppen. Er wird immer mehr oder weniger ein Fremder bleiben, der einer religiösen Dialektik wegen selbst in der Reinheit seiner Werke ein gewisses Einverständnis mit dem Übel bewahrt. Camus erblickte in *La Peste* sein am ausgeprägtesten antichristliches Werk. Zwar weist er Paneloux letzten Endes eine erhebende Rolle zu, da er ihn doch im Kampf gegen die Epidemie sterben läßt. Aber er lehnt seine Lehre ab, die das Heil des Menschen mit dem Menschen selber erkaufen will, mit seiner Unterwerfung unter einen ungerechten und unverständlichen Willen. *Das Heil der Menschen ist ein zu großes Wort für mich. Ich gehe nicht so weit. Mich geht ihre Gesundheit an, zu allererst ihre Gesundheit ... Ich weiß weder, was meiner wartet, noch, was nach all dem kommen wird. Im Augenblick gibt es Kranke, die geheilt werden müssen ... Da die Weltordnung durch den Tod bestimmt wird, ist es vielleicht besser für Gott, wenn man nicht an ihn glaubt und dafür mit aller Kraft gegen den Tod ankämpft, ohne die Augen zu dem Himmel zu erheben, wo er schweigt.*

Ablehnung der Religion, aber ein tiefes Gefühl für das, was heilig ist. Es äußert sich in allen Dingen, die an Unsagbares rühren, und besonders im Exil, verdeutlicht durch die körperlose und doch ständige Gegenwart des übrigen Landes, mit dem man nicht mehr verkehren kann, oder doch nur dank kindischer Schlüsselbotschaften, die zu Mißverständnissen Anlaß geben. Hier findet der Dichter seine feinste und vielleicht schönste Transponierung. Denn «das übrige Land», das waren zwischen 1940 und 1945 die freien Nationen, die in Glück und Wohlstand lebten oder aufgebrochen waren, um uns zu befreien, und bei Camus wird dies zum Wesentlichen, zum einzig Wesentlichen: die Liebe. Die Befreiung trägt das Antlitz der Liebe, das Antlitz einer Frau, aller Frauen: Rieux' Frau, die in der Ferne stirbt, Ramberts Geliebte, die im Getrenntsein unendlich begehrenswert erscheint, ja sogar die alte Frau Dr. Castel, die heimkehrt, um an der Seite ihres Mannes die Pest zu bekämpfen, diese «Kleinig-

keit» verglichen mit der Trennung. Bitteres, verzweifeltes Verlangen, *schwer zu tragende Liebe, reglos in uns, unfruchtbar ... unerträglicher Urlaub.* Aber auch heftige, unstillbare Liebe, Triebkraft des Wesens, die in ihrer Unerfülltheit ebenso mächtig ist wie die höfische Liebe des Mittelalters oder der Katharer. Ja, das ganze Verlangen, die ganze Liebe der Welt leben am Himmel Orans, wo die Pest ihren Dreschflegel schwingt. Und zuweilen fällt dieses Verlangen, fällt diese Liebe wie ein zärtlicher Regen auf die Stadt. Es herrscht eine zärtliche und doch männliche Beziehung zwischen Rieux und Tarrou. *Wissen Sie, was wir für die Freundschaft tun sollten? ... Im Meer baden ... Tarrou näherte sich, bald hörte er ihn atmen. Rieux kehrte sich um, brachte sich auf die Höhe des Freundes und schwamm im gleichen Takt wie er weiter ... Sie kleideten sich wieder an und gingen fort, ohne ein Wort zu sprechen. Aber sie hatten das gleiche Herz, und die Erinnerung an diese Nacht war für beide tröstlich.*

Gegen Schluß, als Tarrou — als letzter in der Stadt — von der Krankheit befallen wird und stirbt, sieht Rieux, wie *dieser Mensch, der ihm so nahe gestanden ... in einer hohlen Klage sein Leben aushauchte; und er mußte am Ufer bleiben und mit leeren Händen und zerrissenem Herzen zusehen.* Und Rieux fühlt deutlich, *daß es sich diesmal um die endgültige Niederlage handelte, um jene Niederlage, die die Kriege beendet und noch aus dem Frieden ein unheilbares Leiden macht.*

Gibt es überhaupt Sieger? Gewiß: eines Morgens, nachdem die Pest immer weiter zurückgewichen ist und Optimismus und Unbekümmertheit sich schon wieder breitmachen, *öffneten sich endlich die Tore, begrüßt von der Bevölkerung, den Zeitungen, dem Rundfunk und den Mitteilungen der Präfektur.* Alles verläuft programmgemäß: auf den öffentlichen Plätzen wird getanzt, in den Kirchen werden Dankgebete gesprochen, man frißt und säuft, und sogar der schreckliche Cottard empfängt seine Strafe. Aber ein Mann zumindest ermißt in dieser Stunde die Endgültigkeit der Pest: Rambert, der das Glück hat, heil davongekommen zu sein, und den seine junge Geliebte jetzt besucht. *Er hätte wieder der werden mögen, der zu Beginn der Epidemie in einem einzigen Anlauf aus der Stadt hatte rennen wollen, um sich der Frau entgegenzuwerfen, die er liebte. Aber er wußte, daß das nicht mehr möglich war. Er hatte sich verändert; die Pest hatte eine Zerstreutheit in ihm entstehen lassen, die er mit seiner ganzen Kraft wegzuleugnen versuchte ... Auf dem Bahnsteig ... hatte Rambert nicht Zeit, die Gestalt anzuschauen, die auf ihn zurannte, als sie sich schon an seine Brust warf. Und indem er sie mit beiden Armen umschlossen hielt und einen Kopf an sich drückte, von dem er nur die vertrauten Haare sah, ließ er seinen Tränen freien Lauf und wußte nicht, ob sie von seinem jetzigen Glück herrührten oder von einem allzu lange verhaltenen Schmerz; er war wenigstens sicher, daß sie ihn daran hinderten, nachzuprüfen, ob das Gesicht, das an seiner Schulter lag, das war, von dem er so oft geträumt hatte, oder im Gegenteil das einer Fremden. Später würde er wissen, ob seine Ahnung zutraf. Für den Augenblick wollte er es halten wie alle ringsum, die zu glauben schienen, die Pest könne kommen und wieder gehen, ohne daß das Herz der Menschen sich deshalb veränderte.*

Wie Rambert wird auch Rieux nie mehr restlos glücklich sein können, und zwar nicht nur, weil er seinen Freund und seine Frau verloren hat. *Diese Chronik geht ihrem Ende entgegen. Es ist Zeit, daß Dr. Bernard Rieux sich als ihr Verfasser bekennt.* Das «Ich» des Buches, das hinter jedem «wir» aufklingt, das vielfältige Eins, das sich scheinbar mühelos in die Mehrzahl umsetzt, verrät eine bewundernswerte Technik, die Sartres «Le Sursis» weit überlegen ist. Doch ist die Aufgabe des ständig abwesend-anwesenden Erzählers, so wie der Krieg und der Tod abwesend-anwesend sind, damit nicht beendet: Rieux wird seinen Beruf weiter ausüben, und schon sehen wir ihn über den ersten Kranken der Nach-Pestzeit gebeugt. Aber zuvor bleibt eine Aufgabe zu erfüllen: die Abfassung dieses

Berichts. *Denn er wollte nicht zu denen gehören, die schweigen, er wollte vielmehr für diese Pestkranken Zeugnis ablegen und wenigstens ein Zeichen zur Erinnerung an die ihnen zugefügten Ungerechtigkeit und Gewalt hinterlassen.* Weniger denn je gibt Rieux sich der Täuschung hin. Er weiß, daß aus so viel Bösem kein alles umfassendes Gutes kommen kann. Tarrou, der ein Heiliger ohne Gott sein wollte, hat den Frieden erst im Tod gefunden. Allen, die dank einer unmenschlichen Tragödie über das Menschliche hinauswachsen wollten, ist keine Antwort zuteilgeworden. *Die Menschen bleiben sich immer gleich.* Und das einzige, was sie verbinden kann, ist ein wenig zärtliche Liebe. Und doch hat die Pest Rieux eine Wahrheit gelehrt, die maßvoll, aber ohne Mittelmäßigkeit in seinem Leben leuchten wird: *daß es an den Menschen mehr zu bewundern als zu verachten gibt.* Und das genügt, wenn man schon kein Heiliger sein kann, um die Heimsuchungen abzulehnen und sich zu bemühen, ein Arzt zu sein.

Während Rieux den Freudenschreien lauschte, die aus der Stadt empordrangen, erinnerte er sich nämlich daran, daß diese Fröhlichkeit ständig bedroht war. Denn er wußte, was dieser frohen Menge unbekannt war und was in den Büchern zu lesen steht: daß der Pestbazillus niemals ausstirbt oder verschwindet, sondern jahrzehntelang in den Möbeln und der Wäsche schlummern kann, daß er in den Zimmern, den Kellern, den Koffern, den Taschentüchern und den Bündeln alter Papiere geduldig wartet, und daß vielleicht der Tag kommen wird, an dem die Pest zum Unglück und zur Belehrung der Menschen ihre Ratten wecken und erneut aussenden wird, damit sie in einer glücklichen Stadt sterben.

Mit ihren fünf großen Kapiteln, entsprechend den fünf Akten der klassischen französischen Tragödie, ist *La Peste* auch in der Anlage eine Tragödie und verzichtet auf den Handelswert des Wortes «Roman»; ihre Größe und ihr Erfolg lag darin, daß sie gleichsam Theater in Buchform war. Es mag deshalb verwundern, daß Camus in seinem nächsten Werk den Irrtum beging, den er bisher vermieden hatte, und der Allegorie Gestalt verlieh, sie auf eine wirkliche Bühne brachte, so daß sie lehrhaft und unwirksam wurde.

Gewiß behandelt *L'État de Siège (Der Belagerungszustand)* nicht das gleiche Thema wie *La Peste*. Das Stück spielt in Cádiz, die Hauptperson ist ein Tyrann aus Fleisch und Blut, der sich der Stadt bemächtigt, sie dem bürokratischen Terror unterwirft und erst zurückweicht, als ein Held sich gegen die Angst empört. Indessen heißt dieser Tyrann «Pest» und seine Sekretärin «Tod». *L'État de Siège* ist eben ein wenn nicht auf Bestellung geschriebenes, so doch den Umständen verpflichtetes Stück. Schon lange spielte Jean-Louis Barrault mit dem Gedanken, Daniel Defoes «Tagebuch des Pestjahres» auf die Bühne zu bringen. Als er erfuhr, daß Camus ein dasselbe Thema behandelndes Buch schrieb (und sogar, wie wir gesehen haben, im Motto Daniel Defoe zitierte), bat er ihn um eine Bühnenbearbeitung. Aber

Albert Camus mit Jean-Louis Barrault bei einer Probe zu «Der Belagerungszustand»

gerade eine «Bearbeitung» lehnte Camus ab: nachdem er das Thema umgesetzt hatte, konnte er nicht zu Defoe zurückkehren. Andererseits lockte ihn das Theater und auch die Art Schauspiel, die Barrault als Verfechter eines «totalen Theaters» – wie er es etwa im Claudels «Christophe Colomb» verwirklichte – ihm vorschlug. *Es handelt sich nicht um ein Stück von herkömmlichem Bau, sondern um ein Schau-Spiel, das offen bestrebt ist, alle Ausdrucksformen des Theaters heranzuziehen, den lyrischen Monolog so gut wie das kollektive Theater, die Pantomime, das einfache Zwiegespräch, die Posse und den Chor.* (25) Das hieß soviel wie die Mysterienspiele oder eher die «Moralités» des Mittelalters zu neuem Leben zu erwecken. Camus ließ sich schließlich dafür gewinnen, vielleicht, weil er die Voraussetzungen eines solchen Unternehmens nicht völlig ermaß; denn es erforderte eine Massenkunst, eine Aufführung im Freien und eine gewisse Naivität des Publikums, die sich schlecht mit dem Samt und den Vergoldungen des Théâtre Marigny oder der aggressiven Skepsis der mondänen Zuschauer unserer Premieren vertrug.

Wahrscheinlich bewog ihn zu dieser Annahme auch das Gefühl, daß er in *La Peste* nicht alles gesagt hatte, oder das traurige Bewußtsein, daß ein Jahr nach Erscheinen des Romans die Geschichte einer anderen Pest zu schreiben war. Sagen wir es offen: obwohl es immer noch um Widerstand ging, trug der Feind nicht mehr genau das gleiche Gesicht. Drei Jahre hatten genügt, damit der kommunistische Verbündete seine totalitären Register bloßlegte, mit bekannten Angriffen in der Innenpolitik, mit stalinistischen Regierungsmethoden in der Außenpolitik. Ach, wie fern lag die Zeit, da *alles so einfach* war, wie Joseph Grand sagte. Jetzt mußten ehemalige politische Deportierte wie David Rousset, die in Tuchfühlung mit den Kommunisten aus den Konzentrationslagern zurückgekehrt waren, voll Bitterkeit die «Konzentrationslagerwelt» Sowjet-Rußlands anprangern. Hinter dem plötzlich heruntergelassenen «Eisernen Vorhang» widerhallte das Echo der Prozesse und der Hinrichtungen. Zwischen 1940 und 1945 war es bei klarem Verstand nicht schwer gewesen, Opfer und Henker zu unterscheiden. Jetzt begann eine «Zeit der Verdächtigen», in der jedermann à priori schuldig war, wobei die Begründung dieser Schuld sich im Zufall einer «Geschichte» verlor, die der undurchschaubaren Dialektik des Führers, der Partei und ihrer ausführenden Organe, der Bürokratie des Terrors, untertan war.

Alle schuldig! hatte schon Caligula gerufen. Jetzt ist es die Botschaft, das Evangelium mit umgekehrtem Vorzeichen, das der Tyrann Pest, der auf den Mauern von Cádiz stehende Zauberer der Geschichte, allen Bürgern verkündet. *Ich herrsche, das ist eine Tatsache, also ein Recht ... Sein Palast ist eine Kaserne, sein Jagdschlößchen ein Gericht.* Herrscht er wirklich? Nein, er «funktioniert». Er bringt die Organisation. *Das Schicksal ist von nun an vernünftig, es hat seine Amtsräume bezogen.* Gesundheitsatteste, Lebensbescheinigungen, die willkürlich ausgegeben oder verweigert werden – nun sind alle *statistisch erfaßt* und *lernen, in Ordnung zu sterben,* sie sind unter der Fuchtel eines Herrn, der versichert: *Mir graut vor Unterschieden und Unvernunft.* Die Machtübernahme erfolgt denkbar mühelos: die Sekretärin des Tyrannen streicht kurzerhand die Namen derer, die sich nicht fügen wollen. Keiner widersteht der Angst.

Und doch. Unter den Bewohnern findet sich Diego, ein junger Mann, von dem wir ohne Erstaunen vernehmen, daß er sinnlich ist, verliebt und vor allem vom Verlangen nach Glück in Anspruch genommen. Camus' große Linien besitzen eine gewisse Unveränderlichkeit. Wie in *La Peste* wird die alte, bürgerliche, auf Ungerechtigkeit gegründete pseudoliberale Ordnung durch einen Richter verkörpert; wie in *La Peste* werden die Liebenden auf Befehl des Tyrannen getrennt; der Kollaborateur Cottard gewinnt eine Caligula-ähnliche Dimension in der Gestalt des Nihilisten Nada (Nichts), eines gebrechlichen Säufers; und was der Chor ihm entgegenhält, könnte aus Chereas Mund stammen: *Nein, es gibt keine Gerechtigkeit, aber es gibt Grenzen.* Und wenn schließlich Martha in *Le Malentendu* von der Freiheit am Meer träumte, wenn Rieux und Tarrou sich dank einem nächtlichen Bad im Meer für Augenblicke von der Seuche befreien, so äußert sich die wilde Hoffnung des unterdrückten Volkes von Cádiz in dem Ruf: *Zum Meer! Zum Meer!*

Doch wenden wir uns wieder Diego zu. Sobald er sein Glück bedroht sieht, sucht er sich unwillkürlich und egoistisch in Sicherheit zu bringen: als der Tod ihn bis in das Elternhaus der Geliebten verfolgt, benützt er den Sohn seiner künftigen Schwiegermutter, ein unschuldiges Kind, als Schild. Dann kehrt seine Auflehnung sich gegen sich selbst: nein, eine solche Geste würde ihn nicht retten. Aber was dann? Diego entdeckt das Mittel instinktiv, als er sich dem spöttischen Tod gegenübersieht, und er schlägt die Sekretärin ins Gesicht. Das Wunder geschieht: die dem Tod versetzte Ohrfeige löscht die Male der Krankheit auf seinem Körper aus. Denn ein geheimes Sandkorn knirscht im Getriebe der Tyrannei: sie verliert ihre Macht gegenüber einem Menschen, der keine Angst hat. Und nun gilt es nur noch, der ganzen Stadt den Knebel der Angst aus dem Mund zu reißen. Diego leitet dieses Unternehmen; er wird dabei zugrunde gehen, aber die Pest wird vertrieben. Und das Stück endet mit einer Hymne auf die Freiheit: *O Woge, o Meer, Heimat der Empörung, siehe dein Volk, das sich nie ergeben wird. In der Bitterkeit der Gewässer genährt, wird die gewaltige Grundwelle eure gräßlichen Städte hinwegschwemmen.*

Le Malentendu hatte geringen Erfolg gehabt, *L'État de Siège* fiel durch, und zwar zum Teil aus den erwähnten Gründen. Aber das Pendel von Camus' Theatererfolgen sollte bald zurückschwingen, denn am 15. Dezember 1949 errang im Théâtre Hébertot, das schon den Triumph von *Caligula* erlebt hatte, sein nächstes Stück, *Les Justes (Die Gerechten),* erneut die Gunst des Publikums.

Die Handlung von *Les Justes* ist historisch, sie betrifft die kleine Gruppe russischer Terroristen, die um 1905 im Rahmen der Kampforganisation der sozialrevolutionären Partei Bombenattentate durchführte. Diesen Terroristen, die alle sehr jung und fast alle Studenten waren, sollte Camus wenig später in *L'Homme Révolté (Der Mensch in der Revolte)* den scheinbar – aber nur scheinbar – ironischen Namen *Die zartfühlenden Mörder* geben. Kaliajew und seine Freunde lebten tatsächlich in einem Paradox. Sie hatten das Handwerk des Scharfrichters gewählt, für das sie nicht geschaffen waren, weil sie glaubten, daß die Revolution nur mit rechtsvollstreckenden Bomben vorangetrieben werden konnte. Aber gleichzeitig weigerten sie sich, sogar in der Rechtfertigung der Aktion und der benützten Mittel, die Unschuldigen und die Schuldigen zu vermengen. Und da sie selbst sich des Blutvergießens schuldig machten, auch wenn es um der Sache der Menschheit willen geschah, forderten sie ihr eigenes Leben als Preis für das anderen genommene Leben. *Notwendig und unentschuldbar, so erschien ihnen der Mord.* (26)

Beim Aufgehen des Vorhangs haben fünf Terroristen, Dora Duljebow, Boris Annenkow (der Anführer), Iwan Kaliajew, Stepan Fjodorow und Alexis Woinow beschlossen, den Großfürsten Sergej umzubringen, der sich auf einer genau ausgekundschafteten Route im Wagen vom Palast ins Theater begeben wird. Kaliajew ist beauftragt, die Bombe zu werfen, und diese Wahl ärgert Stepan: Kaliajew, der Dora liebt und ein Dichter ist, scheint ihm *zu ausgefallen, um Revolutionär zu sein.* Er stellt sich zu viele Fragen, er empfindet zu deutlich die Verschiedenartigkeit der Menschen und wird dadurch dem Feind teilweise gerecht. Stepan hat derlei Spitzfindigkeiten schon längst überwunden und jeden Rest Menschenliebe in sich erstickt. Das Straflager und die Auspeitschungen haben ihn ein für allemal *gerechtfertigt:* er ist nur noch eine Maschine zum Töten. Das romantische Wesen Kaliajews, der das Leben leidenschaftlich liebt und gleichzeitig eine geheime Todessehnsucht in sich trägt, scheint ihm zutiefst verdächtig: so macht man keine Revolution. Und wenn die Kameraden ihm auch unrecht geben, die Ereignisse geben ihm – wenigstens anscheinend – recht. Im Augenblick, da der Wagen an Kaliajew vorüberrollt, bemerkt er außer dem Großfürsten dessen Nichte und Neffen, die ihn unvorhergesehen ins Theater begleiten. Er wirft die Bombe nicht: es ist nicht seine Aufgabe, Kinder zu ermorden.

Die Ablehnung eines Attentats, ein Aufschub, ein bewußt angenommenes, schweres Risiko und die Beschuldigung der Feigheit lasten auf ihm, und doch kann nichts ihn dazu bewegen, Unschuldige zu töten, auch wenn der Schuldige dabei getroffen wird. Er steht also selber als Schuldiger vor seinen Freunden und muß Stepans Zorn und Verachtung über sich ergehen lassen. Es geht um eine entscheidende Frage: durfte er die Befreiung von Tausenden russischer Kinder, die Hungers sterben, hinauszögern, um die beiden wohlgenährten Neffen des Großfürsten zu verschonen? Wenn ja, so sagt Stepan: *Dann wählt die Mildtätigkeit und lindert das Übel eines jeden Tages, nicht aber die Revolution, die alle Übel heilen will, die gegenwärtigen und die zukünftigen.*

Dora: ... der Tod der Neffen des Großfürsten wird kein Kind vor dem Verhungern bewahren. Selbst in der Zerstörung gibt es Gradunterschiede, gibt es Grenzen.

Stepan, heftig: Es gibt keine Grenzen. Die Wahrheit ist, daß ihr nicht an die Revolution glaubt! ...

Kaliajew: Stepan, ich schäme mich, gewiß, und doch kann ich dich nicht weiterreden lassen. Ich habe eingewilligt, zu töten, um die Gewaltherrschaft zu stürzen. Aber hinter deinen Worten sehe ich eine Gewaltherrschaft aufsteigen, die, wenn sie morgen die Macht ergreift, einen Mörder aus mir macht, während ich versuche, ein Rechtsvollstrecker zu sein.

So stellt sich das Problem, und durch den Mund des klugen, gütigen Annenkow gibt die Organisation Kaliajew recht, weil er gemäß der Ehre gehandelt hat. *Kinder töten ist wider die Ehre. Und wenn sich eines Tages die Revolution von der Ehre abkehren sollte und ich noch lebe, dann werde ich mich von der Revolution abkehren.* Überdies wird das Attentat ja nur verschoben, und Kaliajew, der das Vertrauen seiner Kameraden zurückgewonnen hat, führt es zu Ende. Indessen steht ihm noch eine schwere Prüfung bevor. Nach dem Attentat auf den Großfürsten wird Kaliajew verhaftet und zum Tode verurteilt. In seiner Zelle, in der er auf den Morgen der Hin-

richtung wartet, wird ihm ein überraschender Besuch angekündigt: die Großfürstin. Natürlich ist dieser Besuch ein hinterlistiges Manöver: der Polizeichef möchte die Gelegenheit benützen, um aller Welt zu verkünden, Kaliajew habe bereut und um Gnade gefleht; denn mit dieser Lüge hofft er die Organisation in Verruf zu bringen. Die Großfürstin jedoch bittet aufrichtig um die Begnadigung Kaliajews; weil sie eine gläubige Christin ist und dem Mörder ihres Mannes vergibt, möchte sie im Diesseits sein Leben und im Jenseits seine Seele gerettet sehen.

Es ist eine schreckliche Begegnung. Mehr denn je sieht Kaliajew die furchtbare Zweischneidigkeit der Revolte, die in ihrer nie ganz unschuldigen Unschuld nie ganz schuldige Schuldige tötet. *Weißt du, was er zwei Stunden vor seinem Tod getan hat? Er schlief. In einem Sessel, die Füße auf einem Stuhl ... wie immer. Er schlief, und du wartetest auf ihn im grausamen Dämmer.* Aber gerade das Mitleid, das ihn zu dieser verwirrenden Stunde anwandelt, bringt ihm das Heil. Kaliajew lehnt die Begnadigung ab und rechtfertigt so seine Tat. Mann um Mann, Blut gegen Blut: so verbinden sich in ihm die Liebe zum Leben und die Berufung zum Selbstmord. Ja, er ist wahrhaft ein Gerechter, der die Pflicht annimmt, um einer großen Sache willen zu töten, aber nur unter der Bedingung, daß er mit dem eigenen Leben bezahlt. Kaliajew wird also sterben, und seine Kameraden sind gewiß, daß er sie nicht verraten hat, und können alle, auch Stepan, sein Verhalten bewundern und verstehen. Dora fordert als erste, es ihm gleichtun zu dürfen. Sie wird die nächste Bombe werfen, das nächste Opfer sein.

Die grundlegende Verantwortung des Empörers für seine Taten, die Rückkehr zur Unschuld nicht dank einer Sühne, wie die Gesellschaft sie auffaßt, sondern dank des richtigen Gleichgewichts des Todes, das sind Probleme, die Camus in seinem Werk immer wieder leidenschaftlich aufgreift. Von den Terroristen, die er eben auf die Bühne gebracht hatte, schreibt er in *L'Homme Révolté: Ihre nach dem Äußersten verlangenden Herzen vergaßen nichts ... Ein Leben zahlt für ein anderes Leben, und aus diesem doppelten Opfer erhebt sich die Verheißung eines Werts. Kaliajew und seinesgleichen glauben an die Gleichwertigkeit der Leben. Sie stellen also keine Idee über das menschliche Leben, obwohl sie um der Idee willen töten. Sie leben auf der Höhe der Idee. Sie rechtfertigen sie letzten Endes, indem sie sie bis in den Tod verkörpern ... Andere Menschen werden nach ihnen kommen und, obwohl sie vom gleichen verzehrenden Glauben beseelt sind, diese Methoden doch als sentimental abtun und nicht zugeben wollen, daß irgendein Leben gleichwertig sei mit irgendeinem anderen Leben. Dann werden sie einen abstrakten Begriff über das menschliche Leben stellen, selbst wenn sie ihn Geschichte nennen, der sie sich von vornherein unterwerfen und der alle anderen zu unterwerfen sie willkürlich beschließen. Das Problem der Revolte kann nicht mehr arithmetisch gelöst werden, sondern es verwandelt sich in eine Wahrscheinlichkeitsrechnung. Gemessen an der zukünf-*

tigen Verwirklichung einer Idee kann das Menschenleben alles sein oder nichts. Je größer der Glaube ist, den der Rechnende in diese Verwirklichung setzt, desto weniger ist das Menschenleben wert. Zuletzt ist es nichts mehr wert.

Als *Les Justes* 1949 aufgeführt wurde, war die Zeit jener anderen Menschen seit langem angebrochen: sie war unmittelbar auf die Zeit der Kaliajew gefolgt. Stepan, der Unterlegene im Stück, hatte in geschichtlicher Sicht längst gesiegt. Die zur Revolution gewordene Revolte war nur noch auf Erfolg bedacht. Vergessen, überholt und als «romantisch» belächelt waren die Bedenken, die einen Terroristen wie Sawinkow die Teilnahme an einem Attentat auf Admiral Dubassow im Schnellzug Petersburg–Moskau ablehnen ließen, weil «die Explosion Unbeteiligte töten könnte», oder um deretwillen sein Freund Woinarowskij erklärte: «Wenn Dubassow von seiner Frau begleitet wird, werfe ich die Bombe nicht.» Die leninistische Doktrin hatte der revolutionären Aktion neue Gesetze verliehen. «Wo gehobelt wird, fallen Späne», so lautete jetzt die Antwort. Und das Leben des Wahrscheinlichkeitsrechnungen anstellenden Terroristen war nunmehr geheiligt, wie die Zweckdienlichkeit der Sache es verlangte. Ein Beispiel aus den Vierzigerjahren mag hier für viele stehen. 1941 ermordeten zwei anonyme Terroristen in Nantes den Militärgouverneur der besetzten Stadt. Dieses Attentat kostete fünfzig Geiseln das Leben, weil die Mörder sich nicht stellten. Warum hätten sie sich auch stellen sollen? Es war viel wirksamer, wenn die Geiseln erschossen wurden, denn diese offenkundig ungerechte Hinrichtung mußte notgedrungen den Haß gegen die Besatzungsmacht schüren und die Bildung von Widerstandsgruppen beschleunigen – und das war denn auch der Fall. Politisch gesehen, hatten die Mörder also recht, nicht nur ihr eigenes Leben nicht für das des Ermordeten hinzugeben, sondern zudem fünfzig andere Leben statt des ihren vernichten zu lassen, selbst und vor allem das Unschuldiger. Damit kommen wir zu dem von Simone de Beauvoir in «Le Sang des Autres» aufgeworfenen Paradoxon: in Kriegs- und Revolutionszeiten besteht der wahre Mut darin, sich nicht zu stellen und die anderen sterben zu sehen ...

Camus empörte sich mit seinem ganzen Wesen gegen einen solchen Sophismus der revolutionären Aktion. Die auf das ewige «wer den Zweck will, will auch die Mittel» bezogene Wahrscheinlichkeitsrechnung begnügte sich nicht damit, die Revolte zu entmenschlichen, sie verurteilte sie bis in ihre Zielsetzungen hinein. Lügen, Ausmerzungen, kafkahafte Prozesse – sie führte zu allem. Dabei war dies nur eine Einzelheit, denn Camus hatte sein Ziel höher gesteckt: er wollte die Bilanz der Revolte ziehen, vor allem die Bilanz ihrer Widersprüche und ihrer Irrtümer. Ein gewaltiges Unternehmen, das eine ungeheuer große politische und literarische Bildung und eine außergewöhnliche Gabe der Synthese erforderte. Es verlangte – und Camus war sich dessen intuitiv bewußt – eine totale Zusammenschau der Geschichte und der Welt. Es verlangte auch von dem Mann, der diese Aufgabe übernahm, eine doppelte Betrachtungsweise: er mußte zugleich in der Geschichte und außerhalb der Geschichte stehen, er mußte zugleich ein Dialektiker und ein Dichter sein. Kurzum, es bedurfte einer Summa der Geschichte und einer Summa von Camus selbst. Denn alles hängt zusammen, und wenn man auch *bei gewissen Schriftstellern den Eindruck hat, daß ihre Werke ein Ganzes bilden, in dem jedes durch die anderen erhellt wird und alle sich anblicken* (27), so gibt es doch immer eines, das besonders bevorzugt und notwendig ist und für sich allein als Spiegel dient. Der Spiegel von Camus' Werk findet sich in dem unglaublich dichten Werk mit dem Titel *L'Homme Révolté*.

Da *L'Homme Révolté* ein äußerst methodisches Buch ist, wird auch der Kommentar, den wir ihm schulden, sich einer Methode bedienen müssen, und die einfachste und beste besteht wohl darin, Kapitel um Kapitel zu betrachten.

Der Mensch in der Revolte

Was ist ein Mensch in der Revolte? Ein Mensch, der nein sagt. Aber wenn er nein sagt, verzichtet er doch nicht: er ist auch ein Mensch, der ja sagt, schon von der ersten Bewegung an. Die negativste Revolte, zum Beispiel die des Sklaven, der plötzlich gegen einen Befehl seines Herrn aufbegehrt, enthält notgedrungen etwas Positives: wenn ich mich weigere, etwas zu tun, zu dem man mich zwingen will, so heißt das, daß in mir ein mehr oder weniger unbewußter Wille zum Gegenteil wohnt, daß *es im Menschen etwas gibt, mit dem er sich identifizieren kann, und wäre es nur eine Zeitlang.* Infolgedessen: *ich empöre mich, also bin ich.* Tausend Beispiele zeigen uns jedoch, daß die Revolte nicht nur aus der persönlich erlittenen Unterdrückung entspringt, sondern mindestens ebenso oft aus dem Anblick der Unterdrückung anderer. Das sich auflehnende Individuum besitzt also die Fähigkeit, sich auch mit diesen anderen zu identifizieren. *In der Erfahrung des Absurden ist das Leiden individuell* (Meursault, Caligula). *In der Bewegung der Revolte wird ihm bewußt, daß es kollektiv ist, wird es zum Abenteuer aller Menschen* (Rieux, Tarrou, Diego, Kaliajew). Infolgedessen: *Ich empöre mich, also sind wir.*

Die Metaphysische Revolte

Die metaphysische Revolte ist die Bewegung, die einen Menschen gegen seine Conditio humana und gegen die ganze Schöpfung aufbringt . . . Der Sklave protestiert gegen die Daseinsbedingungen, die ihm innerhalb seines Standes bereitet werden; der metaphysische Empörer protestiert gegen die Daseinsbedingungen, die ihm als Mensch bereitet werden . . . Er erhebt sich über einer zerbrochenen

Welt, um ihre Ganzheit zu fordern. Er setzt das Prinzip der Gerechtigkeit, das er in sich trägt, dem Prinzip der Ungerechtigkeit entgegen, das er in der Welt am Werk sieht. Daraus geht hervor: a) *selbst die elementarste Auflehnung drückt paradoxerweise ein Verlangen nach einer Ordnung aus;* und b) da die metaphysische Revolte sich an die höhere Macht wendet, die sie dadurch *in das erniedrigte Abenteuer des Menschen einbezieht,* kann sie nicht mit Atheismus verwechselt werden. *Unter einem bestimmten Gesichtspunkt verschmilzt sie sogar mit der zeitgenössischen Geschichte des religiösen Empfindens.*

Die metaphysische Revolte tritt in der Ideengeschichte erst gegen Ende des 18. Jahrhunderts zusammenhängend auf. Natürlich begegnet man ihr schon früher, und wäre es nur in der Gestalt des ersten aller Rebellen: Prometheus. Wie der Empörer unserer Zeit kämpft auch Prometheus gegen den Tod und ist zugleich Messias und Menschenfreund; aber die Griechen, «die keinen Streit schürten», machten ihn zu einem Helden, dem vergeben wurde — und schon das Wort Held zeigt uns, daß er ein Halbgott ist, der, mit den Göttern uneins, bloß einen Familienzwist beizulegen hat. Denn die Griechen stellten nicht unsere Art von metaphysischen Überlegungen an. Sie glaubten wohl an das Schicksal, aber in erster Linie an die Natur, an der sie teilhatten. Eine Revolte gegen die Natur war deshalb gleichbedeutend mit einer Revolte gegen sich selbst, und das schien ihnen undenkbar. Erst später sollten Epikur und vor allem Lukrez die ganze Last des *abgeschnittenen Lagers* ausdrücken, wo der Mensch in die Verzweiflung eingeschlossen ist. Aber inzwischen war in der Welt der Begriff eines einzigen und persönlichen Gottes aufgetaucht, eines Verantwortlichen für die Leiden der Menschen.

Von diesem Standpunkt aus sind wir viel mehr Kains Söhne als die des Prometheus. Mit dem Chri-

Dostojewski

stentum wird der Versuch unternommen, *von vornherein jedem Kain der Welt zu antworten, indem Gott eine mildere Gestalt verliehen wird.* Dadurch wird nur eine Dualität geschaffen: einerseits der schreckliche Gott des Alten Testaments und andererseits der Mensch gewordene Gott, der am Kreuz stirbt. Aber es genügt, das Christentum wieder in Frage zu stellen und Jesu Göttlichkeit zu bestreiten, damit *der betrogene Jesus nur ein weiterer Unschuldiger* ist und *der Abgrund zwischen Herrn und Sklaven erneut aufbricht... So wird reiner Tisch geschaffen für den großen Ansturm auf einen feindlichen Himmel.*

Diesen Angriff teilt Camus in drei Perioden auf: 1. die absolute Verneinung; 2. die Ablehnung des Heils; 3. die absolute Bejahung. Jede besitzt ihren Helden (oder Anführer): Sade, Iwan Karamasow, Nietzsche.

Bekanntlich ist Sade weder ein Schriftsteller noch ein Philosoph ersten Ranges. Lange Zeit bestand sein einziger Ruhm darin, siebenundzwanzig Jahre im Gefängnis zugebracht zu haben. Diese lange Haft erklärt sein ganzes Werk: es ist ein einziger «Aufschrei der Natur», der Schrei des Geschlechtstriebs, der durch das Gefangensein bestraft, unterdrückt und überreizt wird, Gott und die Moral leugnet und in bezug auf die Menschen den totalen Besitz bis zur Vernichtung fordert. *Die Natur ist der Sexus: Sade wird von seiner Logik in eine gesetzlose Welt geführt, wo die maßlose Triebkraft des Verlangens allein herrscht.* Unumschränkte Freiheit, aus der die Tugend verbannt ist: *Freiheit ist Verbrechen, oder sie ist keine Freiheit mehr.* Die Notwendigkeit des Verbrechens verlangt zwangsläufig eine Organisation und verleitet Sade dazu, sich abgeschlossene Orte auszumalen, «siebenfach umgürtete Schlösser», in denen die neue Gesellschaft, die «Gesellschaft des Verlangens und des Verbrechens» reibungslos gemäß einer straffen Disziplin und unerbittlicher Vorschriften funktionieren wird. Im Ge-

Friedrich Nietzsche

gensatz zu Rousseau und den «tugendhaften» Republikanern seines Jahrhunderts legt Sade die natürliche Schlechtigkeit des Menschen in Gesetzen fest. Es ist der reine Atheismus, das reine «alles ist erlaubt». Aber diese Klöster des Lasters und der Martern, über denen als Herr und Gott der geniale Wüstling herrscht, finden schon bald in sich selbst ihren eigenen Widerspruch: sie gelangen schließlich zu einer trübseligen Askese, einer scheußlichen Keuschheit. Am Ende seines Lebens ist der alte, beleibte Gefangene, der von einer dem Genuß unterworfenen mechanisierten Welt träumte oder in Ermangelung dieser Erfüllung das letzte Attentat herbeiwünschte, «die Zersplitterung des Weltalls», nur noch ein dubioser Schmierenkomödiant, der seine Bühne zur Zerstreuung der Verrückten aufstellt.

Iwan Karamasow spricht im Namen der Liebe. Im Namen der Liebe ergreift er Partei für die Menschen und betont ihre Unschuld. Im Namen der Liebe richtet er Gott: *Wenn das Böse zur göttlichen Schöpfung notwendig ist, dann ist diese Schöpfung unannehmbar ... Wenn das Leiden der Kinder dazu dient, die Summe der zur Erkenntnis der Wahrheit notwendigen Leiden voll zu machen, behaupte ich, daß diese Wahrheit einen solchen Preis nicht wert ist.* In seiner Auflehnung schreckt Iwan auch vor den letzten Konsequenzen nicht zurück: «Alles oder nichts». Ich nehme mein Heil nur an, wenn alle Menschen gerettet werden; ist ein einziger in der Hölle, so lehne ich es ab. Dann aber, wenn die Menschen schon in der Hölle sind (das Böse, das Leiden, die Ungerechtigkeit, das Sterben der Kinder), kehre ich mein Gesicht ab und rufe: «Alles ist erlaubt». Nur muß man in der Tat den Weg der Revolte zu Ende gehen, und am Ende begegnet man dem Übel, dem Tod (es ist keine Moral ohne Unsterblichkeit denkbar) und natürlich dem Verbrechen. So kommt es, daß einer der reinsten unter den Rebellen, Iwan Karamasow, uns schließlich nur *das aufgelöste Antlitz des Empörers im Abgrund* zeigt, jeder Tat unfähig, zerrissen zwischen seiner Unschuld und der Logik des Mords. Er haßt den Tod und geht dem Verbrechen entgegen. Ein erschreckender, unheilbarer Widerspruch: Iwan wird wahnsinnig, genau wie Sade.

Sobald der Mensch Gott einem Moralurteil unterwirft, tötet er ihn in sich selbst. Aber worauf gründet dann die Moral? Man leugnet Gott im Namen der Gerechtigkeit, aber kann der Begriff der Gerechtigkeit ohne den Begriff Gottes verstanden werden? Sind wir dann nicht im Absurden? Gerade dieses Absurde greift Nietzsche offen an. Um es besser zu überwinden, treibt er es auf die Spitze: die Moral ist das letzte Gesicht Gottes, das zerstört werden muß, ehe neu aufgebaut wird. Dann ist Gott nicht mehr und verbürgt unser Sein nicht länger; der Mensch muß sich dazu entschließen, zu handeln, um zu sein.

Bei Nietzsches Erscheinen ist Gott tot. Schon Stirner hatte mit «Der Einzige und sein Eigentum» den Grund zum totalen Nihilismus gelegt, zu der Wüste, die nun durchschritten, der Leere, die durch ein anderes Gesetz ausgefüllt werden muß. Zunächst pflichtet Nietzsche also dem Atheismus und allen seinen Konsequenzen bei, der fehlenden Finalität der Welt, der Verwerfung der christlichen Moral (oder vielmehr der Moral der christlichen Kirche), die auf einem Urteil beruht und den Menschen aus Fleisch und Blut durch ein Spiegelbild des Menschen ersetzt, der Ablehnung der sozialistischen und egalitären Doktrinen, die nur eine Weiterführung des Christentums bilden, und schließlich der Umwandlung des «passiven Nihilismus» in einen «aktiven Nihilismus». Dies geschieht gewiß nicht dank einer totalen Freiheit. Im Gegenteil: *sobald der Mensch nicht mehr an Gott glaubt, wird er verantwortlich für alles, was lebt, für alles, was aus dem Schmerz geboren und dazu bestimmt ist, am Leben zu leiden.* Alles ist erlaubt? Nein: *Wenn nichts wahr ist, dann ist nichts erlaubt* (also eigentlich Chereas Antwort an Caligula). Es gilt, *aus Gottes Tod einen großen Verzicht und einen ständig erneuerten Sieg über uns selbst zu machen.* Die Antwort findet sich im Risiko: *Damokles tanzt nie so gut wie unter dem Schwert.* Sie findet sich auch im Heldentum, jenem rückhaltlosen und begeisterten Bekenntnis zur Welt, zum Schicksal. Nietzsche will keine Erlösung: die Freude des Werdens ist die Freude des Vergehens. In Wahrheit gibt es einen Gott, und zwar die Welt. Um an seiner Göttlichkeit teilzuhaben, genügt es, zur Welt ja zu sagen. Alles annehmen heißt über alles gebieten. *Ja sagen zur Welt, es wiederholen, heißt zugleich die Welt und sich selbst neu schaffen, heißt zum großen Künstler werden, zum Schöpfer. Nietzsches Botschaft läßt sich in dem Wort Schöpfung zusammenfassen mit dem vieldeutigen Sinn, den es gewonnen hat. Die Umwertung der Werte besteht nur darin, den Wert des Richters durch den des Schöpfers zu ersetzen: die Achtung und die Leidenschaft für das, was ist.* So mündet für Camus der «Wille zur Macht» wie Pascals «Pensées» in einer Wette. Aber diese Wette sollte Nietzsche selber nicht halten, denn *der Name Dionysos hat nur den Brieflein an Ariane Unsterblichkeit verliehen, die er in seinem Wahnsinn schrieb.*

Sade, Iwan, Nietzsche: drei Helden, die schließlich alle drei vom Wahnsinn verschlungen werden. Und doch haben alle drei eine zahlreiche Nachkommenschaft. Und hier beginnen die Verwandlungen der Revolte.

Bei Sade liegen die Dinge einfach. Der Erfinder der Schlösser des Lasters und Vorläufer der Konzentrationslagerwelt des 20. Jahrhunderts träumte von einer *durch den kalten Verstand bewirkten Entmenschlichung.* Man kann sagen, daß sein Wunsch erfüllt worden ist, allerdings mit einer kleinen Änderung: während er sich das Verbrechen nur in der Freiheit der Sitten vorstellte (er verwarf das soziale Verbrechen, die Guillotine), waren seine Nachfolger Leute, die ihm die denkbar größte Legalität verliehen. *Das Verbrechen, das seinem Willen nach die außergewöhnliche und köstliche Frucht des entfesselten Lasters sein sollte, ist heute nur noch die graue Gewohnheit einer Polizeitugend. Solche Überraschungen bereitet die Literatur!*

Hinrichtung Ludwigs XVI. auf dem Revolutionsplatz in Paris

Was uns von Iwan Karamasow bleibt, ist nicht die Zerrissenheit, sondern die materialisierte Erscheinung des Großinquisitors, der das Brot des Himmels zusammen mit der Freiheit verweigert und statt dessen das Brot der Erde ohne die Freiheit gewährt. *Von Paulus bis Stalin haben die Päpste, die Caesar wählten, den Caesaren den Weg bereitet, die nur sich selbst wählen.*

Nietzsche schließlich betrachtete das Böse als ein Mittel der Überwindung, ein Heilmittel, eine Einwilligung der Seele in das, was sie nicht vermeiden kann. *Ein Geschlecht von ungebildeten Herrenmenschen, die ABC-Schützen des Willens zur Macht,* hat ihn zu einem Grundschullehrer der Lügen, der Gewalt und des Fanatismus gemacht. Ist er an diesem Rollentausch ganz unschuldig? Gewiß nicht. Und obwohl ihn nichts Gemeinsames mit Hitler verbindet, hat er doch geschrieben: «Wenn die Zwecke groß sind, wendet die Menschheit ein anderes Maß an und richtet das Verbrechen nicht mehr als solches, selbst wenn es sich der entsetzlichsten Mittel bedient.» Und Camus bemerkt dazu: *Er ist 1900 gestorben, zu Beginn des Jahrhunderts, in dem dieser Anspruch tödlich werden sollte.*

Mit wieviel Sinnverdrehungen die Politik die Botschaft dieser drei Männer auch entstellt haben mag, es kann nicht bestritten werden, daß im Geist der nachfolgenden Empörer das «selbst wenn du existierst, lehne ich dich ab», das Iwan zu Gott spricht, sich in ein «du verdienst nicht, zu existieren» und dann in ein «du existierst nicht» verwandelt hat. Nachdem Gott tot ist, bleiben die Menschen, das heißt die Geschichte, die verstanden und gebaut werden muß. Ehe Camus diese Geschichte untersucht, definiert er sie deshalb nochmals in der Sicht der menschlichen Revolte. Hieß es zunächst, *ich empöre mich, also bin ich,* und gleich darauf einfach feststellend: *ich empöre mich, also sind wir,* so lautet der letzte Schritt: *... und wir sind allein.* Von da ab *wird der Mensch auf einer Erde, die er nunmehr einsam weiß, zu den Verbrechen des Irrationalen die Verbrechen der zum*

Jean-Jacques Rousseau

Reich der Menschen fortschreitenden Vernunft fügen.

Die historische Revolte

Antoine Saint-Just

Der Unterschied zwischen Revolte und Revolution und der Übergang der Revolte zur Revolution bilden das Hauptthema dieses langen Kapitels, das beinahe die Hälfte des Buches ausmacht. Das entscheidende Datum ist 1793. Genauer gesagt: der 21. Januar 1793, als die Revolte in Revolution umschlug, indem Gott in der Gestalt Ludwigs XVI., seines Vertreters auf Erden, auf das Schafott geschickt wurde.

Die Philosophen der Aufklärung und insbesondere Rousseau mit seinem «Contrat Social» haben Ludwig XVI. unter die Guillotine gebracht. Bis dahin hatte die Revolte sich nur im Rahmen eines nicht geleugneten Glaubens (Häresien, Reformation, etc.) kundgetan, und selbst Spartakus hatte bei seinem Gladiatorenaufstand die Götter des Staatswesens nicht angetastet. Mit dem «Contrat Social» wird alles anders. *Bis dahin machte Gott die Könige, die ihrerseits die Völker machten.* Von nun an *machten die Völker sich selber.* Am 21. Januar 1793 desakralisiert Saint-Just, ein Jünger Rousseaus, die Geschichte, indem er den König tötet. Aber wenn eine Religion tot ist, folgt ihr ungesäumt eine andere: in diesem Fall die Religion der Vernunft, die der Tugend gleichgesetzt wird. «Es ist unser Ziel, eine solche Ordnung der Dinge zu schaffen, daß eine allgemeine Bewegung zum Guten entsteht.» Kaum hat Saint-Just diese Worte gesprochen, als er wie in einer Erleuchtung das einzige und notwendige Mittel zu ihrer Verwirklichung erkennt. Ausgerechnet er, der von der Gerechtigkeit verlangte, sie solle nicht versuchen, «den Angeklagten schuldig, sondern ihn schwach zu befinden» (eine Formulierung, die Camus natürlich bewunderte), verfällt ungesäumt dem Terror. Für das Gute müssen Köpfe rollen, die Tugend verträgt keine lebenden Feinde. Aber Saint-Just ermißt zumindest den ungeheuren Widerspruch mit seinen Grundsätzen – das beweist sein Schweigen, als er stirbt. Der entscheidende Schritt ist indessen getan: *die Jakobiner haben die Moralgrundsätze starr formuliert* und *die beiden Nihilismen unserer Zeit vorbereitet: den des Individuums und den des Staates.* Die Vernunft nimmt auf keinen Gott mehr Bezug, sondern nur noch auf ihre eigenen Erfolge. Das Reich der Geschichte hat begonnen.

Gerechtigkeit, Vernunft, Wahrheit strahlten noch am jakobinischen Himmel: diese Fixsterne konnten wenigstens zur Orientierung dienen. Vom 19. Jahrhundert an tritt ein anderer Begriff auf: *der Mensch besitzt keine ein für allemal gegebene Natur, er ist kein fertiges Wesen, sondern ein Abenteuer, an dessen Entwicklung er selbst mitbeteiligt sein kann.* Und Hegel stellt jetzt den Geist der Revolte auf neue Grundlagen. Er identifiziert real und rational; er führt eine Geschichte ohne Transzendenz ein, die sich auf ein ewiges Bestreiten beschränkt, das heißt praktisch auf den Kampf der verschiedenen Willen zur Macht. Demzufolge wird alle Moral «vorläufig». *Hegel zerstört endgültig jede vertikale Transzendenz und insbesondere die der Grundsätze. Er führt ohne Zweifel die Immanenz des Geistes in das Werden der Welt ein. Aber diese Immanenz ist nicht starr, sie hat nichts zu schaffen mit dem ehemaligen Pantheismus. Der Geist ist und ist nicht in der Welt; er entsteht in ihr und wird in ihr sein. Der Wert wird also auf das Ende der Geschichte verschoben. Bis dahin gibt es keinen Maßstab, der ein Werturteil zu begründen erlaubte. Es gilt im Hinblick auf die Zukunft zu handeln und zu leben.*

Was Hegel zerstört, ist nicht nur die Transzendenz. Als Erbe der Königsmörder lehrt uns dieser Gottesmörder, daß es in der Welt keine Unschuld gibt, da Welt und Geist geschieden sind. Bis ans Ende der Geschichte wird deshalb alles menschliche Tun schuldig sein. Unschuldig ist nur das Nicht-Tun (oder, wie Sartre sagt: «Rein sind die abgeschnittenen Hände»). *Wie soll man dann leben, wie das Dasein ertragen, wenn es die Freundschaft erst am Ende der Zeiten gibt? Es bleibt nur der Ausweg, die Regel zu schaffen, mit den Waffen in der Hand. – Töten oder knechten,* in diese Alternative werden Hegels Erben sich teilen. Das eine, töten, wird dem 19. Jahrhundert seine Nihilisten und Terroristen liefern, die das Problem des Herrn und des Sklaven durch den philosophischen Selbstmord oder das Opfer lösen; das andere, knechten, wird im 20. Jahrhundert eine neue Menschenrasse schaffen, derzufolge der Sklave nur frei wird, indem er sich seinerseits zum Herrn aufwirft. *Warum hat die revolutionäre Bewegung sich mit dem Materialismus identifiziert und nicht mit dem Idealismus? Weil Gott knechten, dienstbar machen, soviel bedeutet wie die Transzendenz töten, diesen Halt der alten Meister, und das Kommen der neuen vorbereiten, die Zeit des zum König erhobenen Menschen. Wenn das Elend ausgelebt hat, wenn die historischen Widersprüche gelöst sind, dann wird der Staat der wahre Gott, der menschliche Gott sein … Der Zynismus, die Vergöttlichung der Geschichte und der Materie, der individuelle Terror oder das Staatsverbrechen, alle diese ungeheuerlichen Folgen werden dann fix und fertig aus einer zweideutigen Weltanschauung her-*

vorgehen, die der Geschichte allein die Sorge für die Hervorbringung der Werte und der Wahrheit überläßt.

Zunächst der individuelle Terror. Als neue Saint-Justs – insofern sie mit ihrem Leben für ihre Ideen bezahlen – trachten Kaliajew und seine Freunde danach, *eine Gemeinschaft der Gerechtigkeit und der Liebe neu zu schaffen und so eine Aufgabe zu übernehmen, die von der Kirche verraten wurde.* Wie sie zur Revolte stehen und worin diese sie rechtfertigt, ist bekannt. Aber allmählich wird nach Pisarew mit seinem Sektierertum, Natschajew mit seinem Zynismus und Bakunin mit seinem Doppelspiel eine Doktrin sichtbar, die der unheimliche Schigalew in *Les Possédés (Die Besessenen)* wie folgt zusammenfaßt: *Von der uneingeschränkten Freiheit ausgehend, gelange ich zum uneingeschränkten Despotismus.* Despotismus innerhalb der Sekte (wer nicht «linientreu» ist, wird umgelegt) und Despotismus des Staates (sobald die Sekte an die Macht kommt).

Den Terrorismus des Staates teilt Camus in zwei Gruppen auf, je nachdem, ob ein «irrationaler» oder ein «rationaler» Terror geübt wird. Mit der ersten Gruppe (Hitler, Mussolini, der Faschismus im allgemeinen) brauchen wir uns nicht weiter zu befassen, außer um zu sagen, was sie von der zweiten unterscheidet, nämlich das Fehler – entgegen dem äußeren Schein – eines «weltweiten Anspruchs», die Beschränkung auf eine ausschließlich biologische Dynamik. «Werden ist besser als Leben», schreibt Jünger. Und Rosenberg: «Der Stil einer marschierenden Kolonne, und es ist gleichgültig, zu welchem Ziel oder zu welchem Zweck die Kolonne marschiert.» *Deutschland ist zusammengebrochen, weil es mit einem provinziellen politischen Denken in einen Kampf der Reiche getreten ist.* Selbst wenn die deutsche Armee Moskau besetzt hätte, wäre es dem Kommunismus ziemlich sicher gelungen, das Hitlertum zu seinen Ansichten zu bekehren, denn es besaß wahrhaft eine Vorstellung von einem Weltreich. Darin lag – darin liegt noch heute – *seine Stärke, seine durchdachte Tiefe und seine Bedeutung in unserer Geschichte.*

Hier fügt Camus eine Exegese von Karl Marx ein, aus der wir nur ein paar Elemente herausgreifen wollen. *Marx ist zugleich ein bürgerlicher Prophet und ein revolutionärer Prophet.* Als Erbe des Christentums sieht auch er in der Natur nur die «Kulissen», in denen der Mensch, der die Welt nicht bejaht, einem letzten Ziel entgegenstrebt. Aber da er das Christentum leugnet, auferweckt er eigentlich die jüdische Welt, da der Gott-Mensch den Platz Gottes einnimmt, ohne irdische Mittler oder Symbole. Sein Messianismus ist letzten Endes bürgerlich, denn er beruht auf dem szientistischen Dogma des 19. Jahrhunderts. Er ist bürgerlich und sogar konservativ: *als vertrauensvoll auf die Zukunft ausgestellter Wechsel ermöglicht er das gute Gewissen des Herrn. Dem Sklaven, all denen, für die die Gegenwart jämmerlich ist und für die es keine Tröstungen im Himmel gibt, wird versichert, daß wenigstens die Zukunft ihnen gehört. Die Zukunft ist die einzige Art Besitz, den die Herren freiwillig den Sklaven zugestehen.* Indessen ist die marxistische Prophezei-

ung auch revolutionär, weil sie an die Wirtschaft gebunden ist, die Antagonismen schafft. Hegel versicherte, die Geschichte sei Materie und Geist. Marx leugnet den Geist als letzte Substanz und verkündet den historischen Materialismus. Für ihn ist der Mensch nur Geschichte und insbesondere Geschichte der Produktionsmittel. Damit wird er völlig auf die sozialen Beziehungen beschränkt. *Es gibt keinen einsamen Menschen* — die entscheidende Entdeckung des 19. Jahrhunderts lautet jetzt: «Es gibt keinen Menschen außer als Geschöpf der Gesellschaft und Mitschöpfer-Mitspieler der Gesellschaft.» Die Transzendenz ist endgültig vertrieben.

Natürlich beschränkt Camus sich nicht auf diese elementaren Definitionen, sondern sucht in Marx überall den Widerspruch aufzudecken. Historisch zunächst: während die marxistische Prophezeiung auf lange Sicht diskutiert werden kann, sind die Voraussagen auf kürzere Sicht zum Teil schon von den Ereignissen Lügen gestraft worden. *Kapital und Proletariat sind Marx gleichermaßen untreu geworden.* Tatsache ist, daß die Wirtschaftskrisen sich nicht, wie vorausgesagt,

Stalin unter dem Bilde von Karl Marx

gehäuft haben, sondern seltener geworden sind, daß das Aktienkapital das Geld verteilt hat, daß die Vielfalt der Produktion zur Vermehrung und nicht zum Verschwinden der kleinen Unternehmen geführt hat, daß die Landwirtschaft sich restlos gegen ihn gestellt hat. Tatsache ist auch, daß das proletarische Ideal die nationalen Grenzen nicht beseitigt hat, sondern durch sie beseitigt worden ist (1914), daß die Proletarier nicht in die Pauperisierung geraten sind, sondern ihren Lebensstandard verbessert haben, daß sie nicht unendlich an Zahl zugenommen, sondern sich in andere Klassen (Techniker) aufgegliedert haben, daß die Arbeitsteilung, die er für vermeidbar hielt, unumgänglich geworden ist. «Arbeitsteilung und Privatbesitz bezeichnen dasselbe», sagte Marx. Die Geschichte hat das Gegenteil bewiesen, und durch das Auftreten der Technokraten wurde den beiden traditionellen Formen der Unterdrückung, Geld und Waffen, die *Funktion* als dritte hinzugefügt. So hat das Proletariat dank dem bloßen wirtschaftlichen Kräftespiel, das Marx bewundert hatte, die ihm zugedachte historische Mission verworfen und den Sozialismus dadurch gezwungen, autoritär zu werden und Doktrinäre mit dieser Mission zu betrauen, mit anderen Worten: sie zu leugnen.

Sogleich kommt es zur Tragödie. «Ein Zweck, der ungerechter Mittel bedarf, kann kein gerechter Zweck sein», schrieb Marx, und Camus rühmt zu Recht seine ethische Forderung und bewundert seine Gabe, die kapitalistische Gesellschaft zu entmystifizieren. Sehr bald hat der «gerechte Zweck» sich nicht mehr um die Gerechtigkeit der Mittel gekümmert, sondern nur noch um ihre Wirksamkeit. Wenn wir Camus Schritt um Schritt in dieser Beweisführung folgen wollten, müßten wir die ganze Geschichte des russischen Kommunismus seit Lenin nachzeichnen. Der Marxismus denkt sich ein Ende der Geschichte aus, das keineswegs zwingend ist, und über das die Griechen, die in dieser Beziehung bessere Philosophen waren als wir, einfach gelacht hätten. Die Verwirklichung dieser grundsätzlichen Forderung, der die unablässige Verzögerung der proletarischen Parusie widerspricht, ist zu einem bloßen Glaubensartikel geworden; sie führt allerdings zu einem Reich, aber es ist ein *Reich der Endzwecke.* Der entscheidende Schritt wird von Lenin getan, der das militärische Imperium einführt. Man muß alle Freiheit töten, um die Freiheit zu erobern. Somit muß *der Weg zur Einheit,* den die Empörer des vorhergehenden Jahrhunderts so leidenschaftlich suchten, *über die Totalität* führen. «Der nächste Weltkrieg wird nicht nur reaktionäre Klassen und Dynastien, sondern ganze reaktionäre Völker hinwegfegen», versichert Engels. Stalin, die Moskauer Prozesse, die Staatspolizei, ideologische oder militärische Eroberung der Welt – der große Widerspruch ist deutlich zutage getreten. Denn: *Der höchste Widerspruch der größten Revolution der Geschichte liegt schließlich nicht so sehr darin, daß sie durch eine ununterbrochene Reihe von Ungerechtigkeiten und Gewalttaten hindurch den Anspruch auf Gerechtigkeit erhebt... Die eigentliche Tragödie ist die des Nihilismus und deckt sich mit der Tragik des zeitgenössischen Geistes, der nach*

Prometheus. Rom, Museo Capitolino

dem Allumfassenden trachtet und dabei die Verstümmelungen des Menschen anhäuft. Totalität ist nicht Einheit. Der Belagerungszustand, selbst wenn er bis an die Grenzen der Welt ausgedehnt wird, ist nicht die Versöhnung.

Hier endet der erstaunliche Weg des Prometheus. Seinen Haß auf die Götter und seine Liebe zu den Menschen verkündend, wendet er sich voll Verachtung von Zeus ab und kehrt sich den Sterblichen zu, um sie zum Ansturm auf den Himmel zu führen. Aber die Menschen sind schwach oder feige; sie müssen in Zucht genommen werden. Sie lieben das Vergnügen und das augenblickliche Glück; man muß sie lehren, den Honig der Tage zu verschmähen, um größer zu werden. So wird Prometheus seinerseits zum Herrn, der zunächst belehrt, dann befiehlt. Der Kampf zieht sich weiter in die Länge und erschöpft die Kräfte. Die Menschen sind nicht gewiß, in den Sonnenstaat zu gelangen, und zweifeln, ob es ihn gibt. Sie müssen vor sich selbst gerettet werden. Da sagt ihnen der Held, daß er den Staat kennt und daß nur er allein ihn kennt. Wer daran zweifelt, wird in eine Wüste verstoßen, an einen Felsen geschmiedet, den grausamen Vögeln zum Fraß preisgegeben ... Prometheus, ganz allein, ist Gott geworden und herrscht über die Einsamkeit der Menschen. Aber von Zeus hat er nur die Einsamkeit und die Grausamkeit errungen. Er ist nicht länger Prometheus, er ist Caesar ... Der wahre, der ewige Prometheus hat nun das Antlitz eines seiner Opfer angenommen. Der gleiche, aus der Tiefe der Jahrhunderte aufsteigende Schrei ertönt noch immer in der skythischen Wüste.

Revolte und Kunst. Das mediterrane Denken

Da die Revolution sich schließlich immer gegen den sich Revoltierenden kehrt und dieser sich gegen die Revolution, muß die ursprüngliche Definition entsprechend erweitert werden. *Ich empöre mich, also bin ich, also sind wir, und wir sind allein* kann nur noch in einem deutlicher ausgeführten Zusammenhang als richtig betrachtet werden. *Im Ringen mit der Geschichte fügt die Revolte das Neue hinzu, daß wir nicht töten und sterben müssen, um das Wesen hervorzubringen, das wir nicht sind, sondern leben und zum Leben erwecken, um das zu schaffen, was wir sind.*

«Wir sind» anstatt «wir werden sein» — die Kunst verdeutlicht diese Wahl Camus'. Es ist in der Tat nicht ohne Bedeutung, daß von Platon bis Nietzsche oder Marx alle Neuerer der Kunst mißtraut haben, obwohl sie unzertrennlich mit der Revolte verbunden ist, da auch sie die Welt neu schaffen will. Worin besteht denn ihr Verbrechen? In der Ablehnung des Wirklichen? Aber das Beispiel der Maler (Delacroix, Van Gogh) und der Romanciers (Mme de Lafayette, Proust) beweist, daß die Kunst das Wirkliche zwar in Frage stellt, ihm jedoch nicht ausweicht. Im Gegenteil, sie steigert einen seiner Bestandteile, nämlich die Schönheit, die gegenwärtige, greifbare Transzendenz; sie verbindet Natur und Geschichte und *verwirklicht* damit *ohne sichtbare Anstrengung die Versöhnung zwischen dem Einzelnen und dem Universellen, von der Hegel träumte.* Das trifft natürlich nur zu, wenn die Kunst zwei Fallgruben vermeidet: den reinen Formalismus und den unbedingten Realismus. Aber diese beiden Fallgruben sind ebenfalls zwei Lügen, wenn nicht gar zwei unmögliche Dinge. Als Kunst ohne Gerechtigkeit («Das Ziel des Künstlers besteht darin, dem sichtbaren Universum Gerechtigkeit widerfahren zu lassen», sagt Conrad) führt der reine Formalismus zum Nihilismus, und der unbedingte Realismus (oder «sozialistische Realismus»), der sich seiner Grenzen bald bewußt wird, denn die Wirklichkeit ist nicht in ihrer Vollständigkeit beschreibbar, mündet in der Propaganda. Was ist denn nun Kunst? Eine «Schöpfung». So verbindet sie sich mit der Revolte. *In der Kunst vollendet und verewigt sich die Revolte in der echten Schöpfung, nicht in der Kritik oder dem Kommentar. Die Revolution kann sich ihrerseits nur in einer Zivilisation, nicht im Terror oder der Tyrannei behaupten. Die zwei Fragen, die unsere Zeit inskünftig der in einer Sackgasse stehenden Gesellschaft stellt, nämlich ob die Schöpfung möglich ist und ob die Revolution möglich ist, verschmelzen zu einer einzigen Frage, und sie betrifft die Wiedergeburt einer Kultur.*

Noch einmal: es geht nicht darum, eine unmögliche «Republik der Künstler» herbeizuwünschen, sondern darum, die Häßlichkeit der Welt abzulehnen, wie der Mensch in der Revolte die Ungerechtigkeit ablehnt. Kurz gesagt: es geht um *Maß.* Das Maß ist in der Tat ein Schlüsselwort. Echte Revolte lebt vom Maß. *Sie ist keineswegs die Forderung nach völliger Freiheit. Im Gegenteil. Sie macht der völligen Freiheit den Prozeß.* Aus dem Mittelmeerraum stammend, als Erbe der Kulturen des Maßes, definiert Camus diesen Begriff nicht als Mittelmäßigkeit oder Feigheit, sondern als eine durch die ständige heldenhafte Anstrengung des Geistes aufrechterhaltene erschütternde Spannung. Wenn die Revolte eine Philosophie begründen kann, dann soll es eine Philosophie der Begrenzung sein, *eine Kraft und keine Gewalt;* dann muß sie angesichts aller verlogenen absoluten Ansprüche der Dogmen, der Religionen, der Heilslehren die berechnete Verantwortung, die berechnete Schuld, das berechnete Risiko begründen. *Um das Sein zu erobern, müssen wir von dem bißchen Sein ausgehen, das wir in uns entdecken,* und dürfen es nicht zugunsten eines eingebildeten Seins verneinen. *Leben und Sterben lernen und, um Mensch zu sein, sich weigern, Gott zu sein* — das ist die höchste Weisheit, die *L'Homme Révolté* uns vermittelt. Dann werden wir jenseits des Nihilismus der Ungerechtigkeit, der Tyrannei und des Terrors die Liebe wiederfinden und wieder in Einklang stehen mit der Erde. *Unsere Brüder atmen unter dem gleichen Himmel wie wir, die Gerechtigkeit lebt ... Wir werden Ithaka wählen, die getreue Erde, das kühne und genügsame Denken, die hellsichtige Tat, die Großzügigkeit des Wissenden.*

«Als Ehrenbrevier dem Menschen von heute zugedacht, der ‹zwischen grausamen Pharaonen und den unerbittlichen Himmel gestellt ist›, fügt *L'Homme Révolté* sich in die Tradition unserer großen heroischen Literatur ein. Und einer der originellsten Züge dieses Essays besteht darin, daß er eine aristokratische Moral vertritt, um sie in den Dienst eines Handelns und eines Denkens zu stellen, wie sie dem Durchschnittsmenschen eignen», schreibt Jean-Claude Brisville. Aber *L'Homme Révolté*, dessen Gehalt wir auf diesen wenigen Seiten bei weitem nicht ausgeschöpft haben, besitzt in diesem Zusammenhang ein weiteres Verdienst: der *scholastischen oder administrativen Sprache, wie sie die totalitären Doktrinen kennzeichnet*, abhold, behandelt ein in der Schule des Journalismus geformter Schriftsteller mit verständlichen Worten Themen, die die zeitgenössische Philosophie den Augen der Laien hinter einem Tintennebel verbirgt. Camus ist weder ein «Technokrat» noch ein «Spezialist». Er läßt die Vernunft in einer jedermann verständlichen Sprache zu Worte kommen, und so entstehen Sätze, die aus ihrem Zusammenhang zu lösen wir uns nicht versagen können, so sehr erscheinen sie uns in ihrer Einfachheit Endgültiges auszusagen.

Die Menschen sind immer nur für die Freiheit tapfer gestorben; dann glaubten sie nämlich nicht völlig zu sterben.

Der Zweck heiligt die Mittel? Möglich. Aber wer heiligt den Zweck? Auf diese Frage, die das historische Denken unbeantwortet läßt, erwidert die Revolte: die Mittel.

... jene andere Art von Einsamkeit, die Promiskuität heißt ...

Der Terror ist die Ehre, die haßerfüllte Einzelgänger schließlich der Brüderlichkeit der Menschen erweisen.

Der Mensch ist nicht ganz und gar schuldig, denn er hat die Geschichte nicht begonnen, und auch nicht ganz und gar unschuldig, denn er setzt sie fort.

Die wahre Großzügigkeit gegenüber der Zukunft besteht darin, alles der Gegenwart zu geben.

Womit wird die Gegenwart dem Menschen antworten, der ihr alles gibt? Mit Ruhm und Beschimpfung.

Von den zahlreichen Polemiken, die *L'Homme Révolté* entfachte, war die in der Zeitschrift «Les Temps Modernes» geführte zweifellos die grausamste, denn sie warf einen unüberbrückbaren Graben zwischen Sartre und Camus auf. Wir wollen uns nicht im einzelnen mit diesem Streit befassen, denn es ist müßig, Unvereinbares gegenüberzustellen. Die Zukunft wird entscheiden zwischen diesen beiden Meistern des zeitgenössischen Denkens, die beide auf ihrem Standpunkt beharrten. Im übrigen kann man sagen, daß die haßerfüllten oder heimtückischen Angriffe der äußersten Rechten und der äußersten Linken das Buch in seiner Wahrheit und Echtheit bestätigten. *Eine Revolution, die man von der Ehre trennt, verrät ihre Ursprünge, denn diese gehören in den Bereich der Ehre.* Ja, sie bestätigen Camus' ganzes Werk. *In gewisser Hinsicht hat die Geschichte von morgen einen anderen Sinn als man glaubt. Er liegt im Kampf zwischen der Schöpfung und der Inquisition.*

Dieses Zitat stammt aus *L'Été (Heimkehr nach Tipasa)*, dem 1954, drei Jahre nach *L'Homme Révolté* veröffentlichten Essayband. Camus, den «L'Humanité» den «Philosophen des Mythos und der abstrakten Freiheit, den Schriftsteller der Illusion» nannte, zog in diesen zwischen 1939 und 1953 entstandenen Texten die Bilanz aus *Noces* und *L'Homme Révolté*. Es folgen andere Bücher und Bühnenbearbeitungen, die chronologisch gesehen an dieser Stelle besprochen werden müßten. Und doch will ich es nicht tun, denn mir scheint, es sei logischer, Camus nun auf dem Gipfel seiner Laufbahn zu zeigen, da doch *L'Homme Révolté* einen Gipfel in seinem Schaffen darstellt. Ich überspringe also ein paar Jahre, auf die ich später zurückkommen werde, und will von jenem Ruhm sprechen, in dessen Gefolge die Beschimpfung einhergeht.

Albert Camus mit seiner Frau

Am 17. Oktober 1957 verlieh die Schwedische Akademie «dem französischen Schriftsteller Albert Camus» den Nobelpreis für Literatur, für ein Werk, das «die Probleme beleuchtet, die sich in unserer Zeit dem Gewissen der Menschen stellen». Die Nachricht wirkte in den literarischen Kreisen Frankreichs wie eine Bombe. Camus war vierundvierzig Jahre alt und erhielt bereits diese höchste Auszeichnung, deren sich damals nur zwei andere noch lebende Franzosen rühmen konnten: Roger Martin du Gard und François Mauriac. Beifall und Hohn. Camus ließ sich von beidem nicht beirren. Diese Ehrung bot ihm die Gelegenheit, von neuem seine Stellung als Künstler zu definieren; er tat dies am 10. Dezember in Stockholm bei der Entgegennahme des Preises, und am 14. Dezember an der Universität von Uppsala in einem Vortrag mit dem Titel *Der Künstler und seine Zeit* (28).

Ist die Kunst ein verlogener Luxus? Ja, manchmal, wenn sie sich auf die bloße formale Unterhaltung einer Händlergesellschaft – der unseren – beschränkt, die seit einem Jahrhundert die Dinge durch Zeichen ersetzt hat. Der seines Namens würdige Künstler indessen begnügt sich nicht lange mit dieser Rolle eines Spaßmachers, in der seine grundsätzliche Freiheit eine tatsächliche Unterdrückung verdeckt und Ja sagt zum Unglück der Menschen. Dann ist die Ver-

Francine im Speisewagen auf der Reise nach Stockholm

suchung groß, sich entweder in die «Verfemung» zu flüchten oder aber zu verraten, was man zu verbessern sucht, nämlich die Wirklichkeit, indem man sie in eine politische Doktrin umfälscht. Die Last des Wirklichen in einem Kunstwerk ins Gleichgewicht zu bringen (weder den Kopf in den Wolken noch Blei in den Sohlen), ist das wichtigste Anliegen des Künstlers. Denn *die Kunst ist in meinen Augen kein einsiedlerisches Vergnügen. Sie ist ein Mittel, die größtmögliche Zahl von Menschen anzurühren, indem sie ihnen ein beispielhaftes Bild der gemeinsamen Leiden und Freuden vorhält.* Das Ziel der Kunst besteht nicht darin, zu richten und Gesetze zu erlassen, sondern vor allem darin, zu verstehen. *Wer könnte nach alledem fertige Lösungen und erbauliche Morallehren von ihm erwarten? Die Wahrheit ist geheimnisvoll, ungreifbar, und muß stets neu erobert werden. Die Freiheit ist oft gefährlich, ihr zu leben ebenso hart wie berauschend.* Aber gerade die Gefahr nimmt die Kunst in

Verleihung des Nobelpreises 1957: der König von Schweden applaudiert dem Dichter

Zucht, macht sie größer, «klassisch». Diesen beiden Zielen, Wahrheit und Freiheit, müssen wir entschlossen entgegengehen, unserer Schwächen bewußt. Welcher Schriftsteller wagte es, sich zum Tugendprediger aufzuwerfen? *Was aber mich selbst betrifft, so muß ich erneut festhalten, daß ich das alles nicht bin. Ich habe nie vermocht, auf das Licht zu verzichten, das Glück des Seins, das freie Leben, in dem ich aufgewachsen bin. Aber obwohl manche unter meinen Irrtümern und Fehlern sich aus diesem Sehnen erklären, hat es mir doch unzweifelhaft geholfen, meinen Beruf besser zu erfassen, und hilft mir noch heute, blindlings bei all den schweigenden, über die Welt verstreuten Menschen zu stehen, die das ihnen bereitete Leben nur in der Erinnerung oder der Wiederkehr flüchtiger, freier Augenblicke des Glücks ertragen.*

Der Ruhm. Ja, die Photographie, die uns Albert Camus im Frack zeigt, wie er aus den Händen des Königs von Schweden seinen Preis entgegennimmt, bietet das Bild eines berühmten Schriftstellers, den man sich glücklich denken kann. Aber täuschen wir uns nicht: die Menschen und vor allem die Ereignisse haben es nicht an der Beschimpfung, dem Tribut einer solchen Größe, fehlen lassen. Bereits im Jahr 1957, zur Zeit des größten Ruhms, und bis zu seinem Tod ist Camus, der gefeierte, bewunderte oder gehaßte Camus, ein Einsamer, der gierig nach seinem Reich sucht. Wie er es vorausgesagt hatte, *schreitet er mühsam vorwärts* in der *unbequemen Laufbahn, voll Unschuld das hohe Seil betretend, ... ungewiß, ob ich das Ziel erreichen werde.* Camus ist im Exil.

Albert Camus mit seinen beiden Kindern Jean und

Cathérine kurz nach der Verleihung des Nobelpreises

DAS EXIL UND DAS REICH

Solitaire? Solidaire?

Aufstand in Madagaskar, Aufstand in Tunesien, in Marokko, Krieg in Indochina, Dien-Bien-Phu ... Gleich nach seiner Befreiung sah Frankreich sich von seinem revoltierenden Kolonialreich angegriffen. Aber als am 1. November 1954 der Aufstand von Philippeville ganz Algerien in Brand steckte, stand das Mutterland zutiefst betroffen da. War denn Algerien nicht «Frankreich»? So ziemlich als Einziger ermaß Camus die Tragweite des Ereignisses. Seine Heimat, der Boden seiner Kindheit, schwankte unter seinen Füßen.

Schon 1939 hatte er in seiner Reportage über die Kabylen geschrieben: *Angesichts dieser unendlichen Landschaft ... begriff ich, welches Band diese Menschen zusammenhielt und welche Harmonie sie an ihren Boden fesselte ... Und wie hätte ich da nicht ihren Wunsch verstehen sollen, ihr Leben selbst zu verwalten, ihr Verlangen, endlich das zu werden, was sie zutiefst sind: mutige, verantwortungsbewußte Männer, bei denen wir ohne falsche Scham Größe und Gerechtigkeit lernen könnten?*

Als im Mai 1945 in Guelma und in Sétif Aufruhr herrschte, griff Camus wiederum zur Feder und erklärte in «Combat»: *Was die Politik angeht, so möchte ich daran erinnern, daß das arabische Volk existiert ...* Er prangerte die beiden Grundübel an, an denen Algerien litt: den Hunger und die Ungerechtigkeit der Unterdrükkung. Er zeigte die furchtbare Entwicklung auf, die so weit geführt hatte, er beschrieb, wie die reichen algerischen Großgrundbesitzer sich allezeit den Forderungen der Eingeborenen widersetzten und die vom Mutterland befohlenen Reformen sabotierten, mochten sie noch so bescheiden sein. Er berichtete von der Verbitterung und dem Ekel der Araber, von ihrer Weigerung, sich «assimilieren» zu lassen, denn was sie zwanzig Jahre früher freudig angenommen hätten, erschien ihnen nur noch als «kolonisatorischer Trick». Und schließlich berichtigte er das abgedroschene Bild des «Feindes» und «Rebellen» und entwarf ein ehrliches Porträt von Ferhat Abbas, dem Führer der Manifest-Partei, einem Algerier französischer Bildung, einem Leser von Pascal, einem logischen und leidenschaftlichen Geist. Schlußfolgerung: *Diese zerrissenen und von allzu lange dauernden Leiden gequälten Völker müssen um jeden Preis Frieden erhalten ... Die unendliche Kraft der Gerechtigkeit und sie allein muß uns helfen, Algerien und seine Bewohner zurückzugewinnen.* (29)

Frieden erhalten? Die französische Regierung antwortete den Aufständischen von Sétif im Gegenteil mit Unterdrückung. Eine blinde, unbarmherzige Unterdrückung, die im Zufall ihrer Schläge hundert Unschuldige für einen Schuldigen traf. Von da ab zog die algerische Revolte immer weitere Kreise. Der Krieg brach aus, setzte sich fest: Algerien verfiel dem *Hexenkreis der Gewalt.*

Wir wollen hier nicht von diesem Krieg berichten, der, während

Ferhat Abbas

ich schreibe, immer noch fortdauert und dessen Etappen aller Welt bekannt sind. Wir wollen uns nur mit Camus' Einstellung zu diesem Krieg befassen.

Gleich zu Beginn der Feindseligkeiten spaltet die öffentliche Meinung Frankreichs sich in zwei unversöhnliche Lager auf, die Rechte und die Linke. Die Rechte ergreift natürlich sofort Partei für die Kolonisten, die sie fälschlich «die Partei Frankreichs» nennt. Für sie ist das Problem einfach. Algerien ist französischer Boden, eine Gruppe von Departements wie die anderen, seit über hundert Jahren unter der Trikolore vereint, das heißt schon bevor andere Provinzen zu Frankreich kamen, deren Zugehörigkeit doch von niemand bestritten wird, Savoyen zum Beispiel, oder Nizza. Infolgedessen ist der Algerienkrieg kein auswärtiger Krieg, sondern ein Bürgerkrieg. Das Wort «Krieg» ist überhaupt fehl am Platz: «Befriedung» muß man sagen. Jeder algerische Aufständische kann nur als «Verräter» betrachtet werden wie ein Bretone oder ein Auvergnate, der sich erhöbe. Über das zu erreichende Ziel herrscht bei der Rechten einige Verwirrung. Anfänglich trachtet sie nach der Beibehaltung des Status quo: die «Verräter» zermalmen, und alles wird sein wie zuvor. Dann, vom 13. Mai 1958 an, bekehrt sie sich sozusagen einhellig zum Begriff der «Integration». Der algerische Araber soll ein «vollgültiger Franzose» werden. Das ist die Verschmelzungsdoktrin, die so lange abgelehnt wurde, bis es zu spät war. Es ist auch die Verneinung der arabisch-algerischen Nationalität.

Für die Linke ist Algerien vielmehr eine Nation für sich und hat als solche Anrecht auf Unabhängigkeit. Der Krieg ist also sehr wohl ein auswärtiger Krieg, der die Freiheit eines Volkes bedroht, der also ungerecht und verbrecherisch ist. Man muß mit der gegnerischen, unter der Fahne des F. L. N. (Nationale Befreiungsfront) zusammengeschlossenen Armee verhandeln. Man muß eine Algerische Republik wenn nicht gründen, so doch zulassen, und anerkennen, daß sie mit dem gleichen Recht kämpft wie die französische Widerstandsbewegung während der deutschen Besetzung. Einzelne bleiben mit ihrer Logik nicht auf halbem Weg stehen und helfen heimlich der F. L. N. im Mutterland, um im Hinblick auf den Tag der Befreiung die algerisch-französische Freundschaft zu festigen.

Selbstverständlich handelt es sich hier um eine schematische Darstellung, während in Wirklichkeit Rechte und Linke nicht ganz so eindeutig auseinanderzuhalten sind. Viele algerische Kolonisten träumen von einer weniger entschiedenen Lösung als der Integration, und der Kolonialismus, ja sogar eine Spur Rassebewußtsein, sind der Mentalität der breiten Masse, auch wenn sie links wählt, gar nicht so fremd, wie man uns gerne einreden möchte. Indessen ist jede politische Aktion notgedrungen vereinfachend: man gehört zu den einen oder zu den anderen, man wählt. Zu Beginn der Feindseligkeiten fragte man sich deshalb überall, wie Camus wählen würde. Eigentlich schien diese Frage müßig, und die Rechte verwarf Camus von vornherein als Verräter, während die Linke sich anschickte, ihn als einen der ihren aufzunehmen.

Dabei wurde nur das Wesentliche übersehen: daß Camus ein Algerien-Franzose war. Auch wenn er den Arabern und ihrer Eigenart Gerechtigkeit widerfahren ließ, konnte er nicht eine Million seit Generationen in Nordafrika ansässiger Europäer in Bausch und Bogen abschreiben. Sicher hatten sie das Land mit Gewalt in Besitz genommen, sicher hatten sie die Eingeborenen unterdrückt, ihre Persönlichkeit, ihr Empfinden, ihre elementarsten Rechte mißachtet. Indessen hatten sie nach der militärischen Eroberung das Land aufgebaut und unter großen Mühen auf die Höhe der technischen Zivilisation gebracht, allerdings zu ihrem sozusagen ausschließlichen Vorteil. Aber jedermann mußte einsehen, daß dieser Fortschritt nicht rückgängig gemacht werden konnte und daß das ehemalige Hirtenvolk früher oder später daraus Nutzen ziehen würde. Und zudem — wo war der Profit hingegangen? Denn wenn man das arabische «menschliche Faktum» nicht abstreiten konnte, so mußte man auch sein Gegenstück, das französische «menschliche Faktum» zugeben. Waren sie wirklich Unterdrücker gewesen, Camus' Vater, der Landarbeiter, der mit den Arabern aus einer Schüssel aß, seine Mutter, sein Onkel und alle die anderen? Wie stand es, so betrachtet, mit dem Nationalismus? War er eine Frage der Rasse oder ganz einfach der Gesellschaftsklasse?

Verweilen wir einen Augenblick bei der Tragik der algerischen Liberalen. Diese Menschen sind Franzosen, aber nicht in Frankreich zur Welt gekommen: ihre Schuld war es nicht, sie sind nicht verantwortlich für die Verfehlungen ihrer Vorfahren, sonst müßten wir zugeben, daß es in der Politik eine Erbsünde gibt und daß gewisse Völker verdammt sind. Als sie heranwuchsen, kämpften diese Liberalen für die arabische Sache. Einzelne gingen dafür ins Gefängnis oder wurden schwer verunglimpft. Und welches ist heute,

Unruhen, Attentate und Streiks in Algerien: ein französischer Posten mit Sprechfunk überwacht eine Hauptgeschäftsstraße in Algier

da ihre Sache bald den Sieg erringen wird, der Lohn, den sie empfangen? Entweder das Exil oder eine andere Nationalität. Sie dürfen nicht länger Franzosen sein, wenn sie in dem Land bleiben wollen, das sie lieben. Aus einer Minderheit von Unterdrückern (und ich habe gesagt, welche Einschränkungen der Ausdruck verlangt) werden sie unvermittelt eine Minderheit von Unterdrückten.

Vielleicht kann man unter diesen Umständen eine andere Lösung ins Auge fassen, eine Lösung des Maßes und der Gerechtigkeit, die leider gerade aus diesem Grund wenig Aussicht auf Verwirklichung hat. In der modernen Welt sind Kolonialismus und Nationalismus gleichermaßen überholt. Es ist sinnlos und dumm, die Rassenunterschiede leugnen zu wollen, aber wie Camus sagt: *Jede einem Menschen zugefügte Beleidigung, gleichgültig, welcher Rasse er angehört, ist eine Herabwürdigung der ganzen Menschheit.* Ist es so utopisch, anstatt eines französischen Kolonialismus gegen die Araber oder eines arabischen Nationalismus gegen die Franzosen eine arabisch-französische Verbrüderung zu erhoffen? Und zwar gerade in diesem Algerien, das Geschichte und Geographie zum Treffpunkt, zum Angelpunkt von Europa und Afrika, Christentum und Islam bestimmt haben. Treffpunkt... das Wort entbehrt nicht der tragischen Ironie, ist es doch zur Zeit vor allem ein Schlachtfeld. Die dringendste Aufgabe besteht deshalb darin, den Frieden herbeizuführen.

Die Polizei sprengt eine Demonstration französischer Siedler

Mai 1958: Demonstranten erstürmen das Rundfunkgebäude in Oran

Als der Krieg ausbricht und jedermann gespannt auf Camus' Stellungnahme wartet, tut er das einzige, was von ihm zu erwarten war und nicht von ihm erwartet wurde. Er begibt sich in das Niemandsland zwischen den Armeen und verkündet inmitten des Kugelregens: *Der Krieg ist ein Betrug, und wenn das Blut die Geschichte zuweilen vorwärtstreibt, so nur in Richtung auf noch mehr Barbarei und Elend.* In seinem Brief an Aziz Kessous, einen aktiven algerischen Sozialisten, setzt Camus den beginnenden Krieg auf die Anklagebank. *Da stehen wir uns nun gegenüber und sind darauf bedacht, uns auf nicht wiedergutzumachende Weise so viel Leid zuzufügen wie nur möglich ... Und doch wissen Sie und ich, die wir uns so sehr gleichen, dieselbe Bildung genossen haben, dieselbe Hoffnung teilen, die wir seit so langer Zeit Brüder sind, eins in der Liebe zu unserer Heimat, daß wir keine Feinde sind und daß wir zusammen in dieser unserer Heimat glücklich leben könnten.* Worte des Bedauerns ... Handeln tut not.

Für Camus bedeutet handeln nicht, den Gegner niederschlagen, sondern ihn sich versöhnen, die Ursachen und Ziele des Krieges abklären, damit der Krieg aufhören kann, so wie ein Arzt eine Krankheit erst diagnostiziert und dann behandelt. So entstand der Text *Algérie 1958*, der als *Memorandum* vorgelegt wird und *mit einem Mindestmaß an Phrasen und der algerischen Wirklichkeit möglichst genau Rechnung tragend* das Problem zusammenfaßt.

Wenn die arabische Forderung zum Krieg geführt hat, so deshalb, weil sie trotz ihres guten Rechts unklar geblieben, weil sie zugleich berechtigt und unberechtigt ist. Berechtigt sind folgende Klagepunkte: *1. Der Kolonialismus und die Mißbräuche, die unweigerlich damit verbunden sind; 2. die wiederholte Lüge von der immer wieder vorgeschlagenen, nie verwirklichten Assimilierung; 3. die offensichtliche Ungerechtigkeit der Landverteilung und der Aufteilung des Einkommens; 4. das psychische Leiden.* Das alles drängte zur Revolte und rechtfertigt sie. Aber die arabischen Forderungen sind zum Teil unberechtigt, denn die nationale Unabhängigkeit ist in Algerien nur ein Schlagwort der Leidenschaften. Eine algerische Nation hat es nie gegeben. Zur Zeit bilden die Araber nicht allein ganz Algerien. *Die Algerienfranzosen sind ebenfalls im vollen Sinn des Wortes Eingeborene.* Und schließlich: was ist politische Unabhängigkeit ohne wirtschaftliche Unabhängigkeit? Ein Selbstbetrug, mehr noch: die Unterwerfung unter ein schlecht umrissenes Muselmanenreich, das Rußlands strategischen Zwecken dient. So kommt Camus zum Schluß, daß die arabischen Forderungen dazu führen, ein weiteres Land dem Totalitarismus anheimfallen zu lassen.

Um das zu verhüten und den Rebellen doch eine gültige Antwort zu geben, kehrt Camus sich wiederum Frankreich zu und beschwört es, einerseits auf den Rechten der Algerienfranzosen zu beharren und andererseits dem algerischen Volk völlige Wiedergutmachung zu gewähren und es vom Kolonialsystem zu befreien. Er untersucht und empfiehlt zu diesem Zweck den sogenannten Lauriol-Plan, der seiner Ansicht nach die Vorzüge der Integration und der Föderation in sich vereinigt.

Am 22. Januar 1956 hatte Camus bereits eine andere Initiative ergriffen und in Algier einen *Aufruf für einen Burgfrieden in Algerien* erlassen. Er beschwor die kämpfenden Parteien, wenn das Blutvergießen schon nicht verhindert werden konnte, wenigstens die nicht wiedergutzumachende Ermordung Unschuldiger zu vermeiden.

Was wollen wir erreichen? Daß die arabische Bewegung und die französischen Behörden — ohne deswegen miteinander in Verbindung treten zu müssen und ohne jegliche andere Verpflichtung — gleichzeitig eine Erklärung abgeben, wonach während der ganzen Dauer der Unruhen die Zivilbevölkerung immer und überall in Frieden gelassen und beschützt wird. Warum diese Maßnahme? Zunächst einmal, weil *nichts den Tod der Unschuldigen rechtfertigt,* dann aber auch, weil ein solches Abkommen die einzige und letzte Gewähr für einen möglichen Frieden bietet, ohne daß das Land von Leichen übersät ist und in Trümmern liegt. *Ganz unverkennbar ist zumindest in diesem Punkt eine französisch-arabische Solidarität unvermeidlich, im Tod wie im Leben, in der Vernichtung wie in der Hoffnung. Das Schreckliche dieser Verbundenheit offenbart sich in der teuflischen Dialektik, derzufolge das, was die einen umbringt, auch die anderen umbringt, da jeder den Fehler dem anderen zuschiebt und seine Gewalttaten mit der Gewalttätigkeit des Gegners rechtfertigt. Dabei verliert der ewige Streit um die ursprüngliche Verantwortung seinen Sinn. Und weil zwei gleichzeitig ähnliche und verschiedene, doch gleich achtenswerte Bevölkerungsteile es nicht verstanden haben, miteinander zu leben, verdammen sie sich dazu, mit hilfloser Wut im Herzen miteinander zu sterben.*

Gleichzeitig ähnlich und doch verschieden — Camus' Aufruf beruht im Wesentlichen auf diesem Argument. Mehr als jeder andere empfindet er die «arabische Verschiedenheit», doch sieht er darin einen Grund nicht zur Trennung, sondern zur Vereinigung. *Ich für mein Teil glaube hier wie überall nur an die Unterschiede, nicht an die Gleichförmigkeit. Denn die Unterschiede sind die Wurzeln, ohne die der Baum der Freiheit verdorrt, der Saft der Schöpfung und der Kultur austrocknet.* Indessen stehen Araber und Franzosen sich jetzt gegenüber und gehen dem Nichtwiedergutzumachenden entgegen. Denn sie haben das Unsühnbare getan, Zivilisten ermordet, und nun finden die einen wie die anderen ihre Rechtfertigung nur noch in der blinden Treue zu ihrer Heimat oder vielmehr zum Krieg. So schließen sie sich in die Irrtümer und Verbrechen ihres Lagers ein. *Ich weiß, daß die großen Tragödien der Geschichte mit ihren gräßlichen Gesichtern oft einen Bann auf die Menschen ausüben, so daß sie unbeweglich verharren und sich zu nichts entschließen können außer zum Warten. Sie warten, und eines Tages verschlingt sie die Gorgo. Ich möchte Sie im Gegenteil zu meiner Überzeugung bekehren, daß nämlich dieser Bann gebrochen werden kann ...* Es ist eine ruhmlose, undankbare Aufgabe, sich zwischen die Kämpfen-

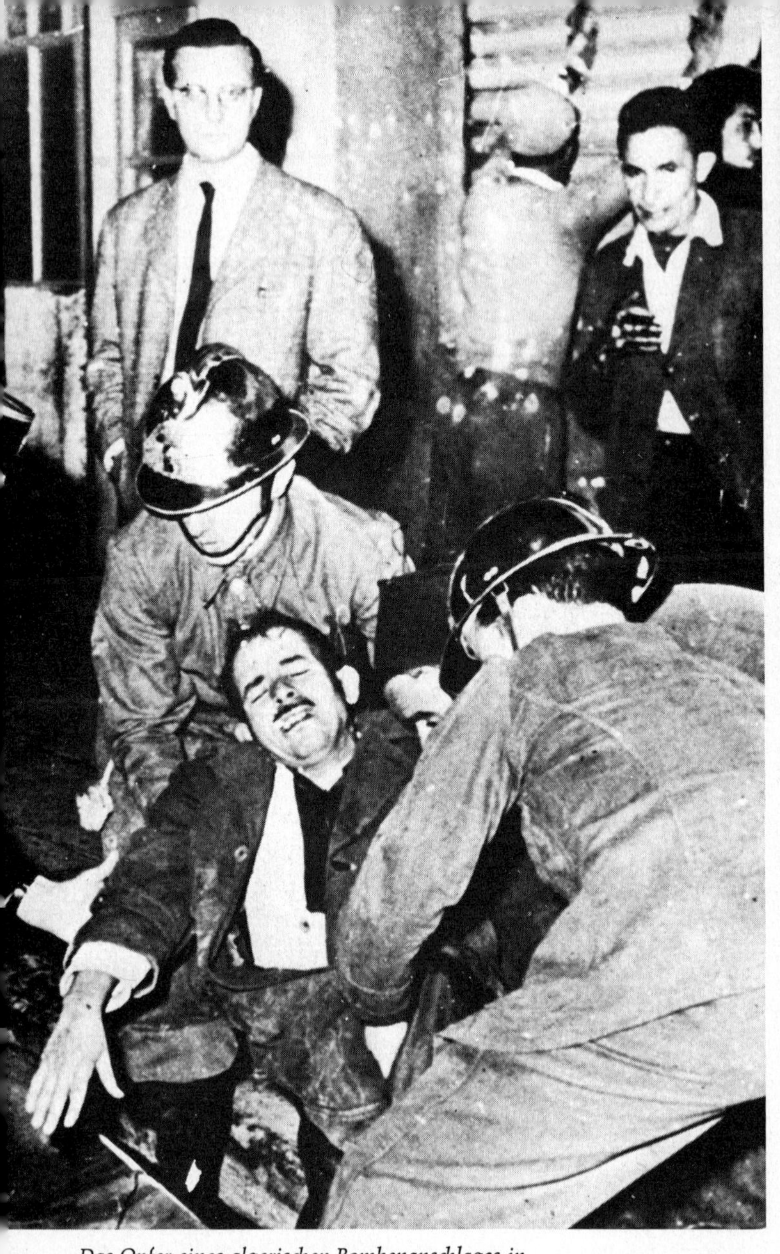

Das Opfer eines algerischen Bombenanschlages in Belcourt, einem Vorort Algiers, wird abtransportiert

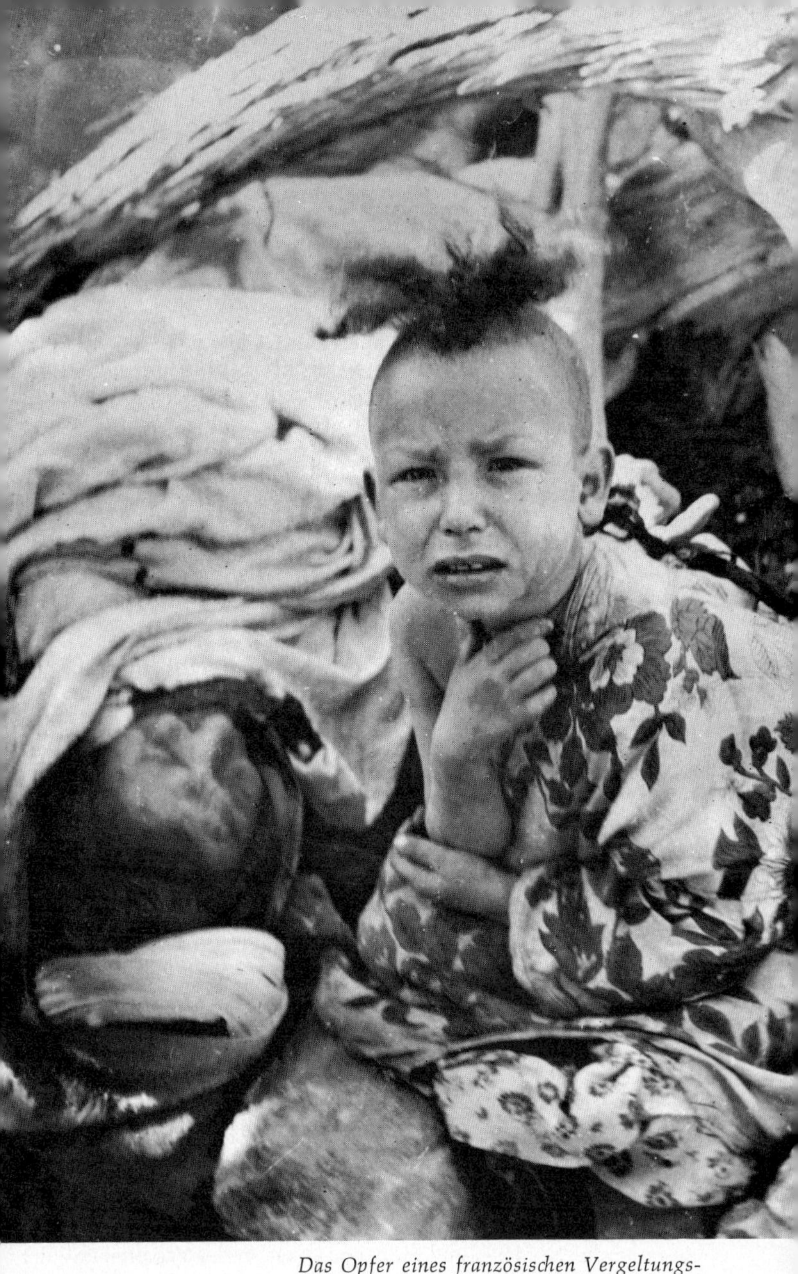

Das Opfer eines französischen Vergeltungsbombardements auf das tunesische Dorf Sakiet

den zu stellen, um an ihre Vernunft und ihr Erbarmen zu appellieren. Und doch muß man dies entschlossen auf sich nehmen, *damit wir eines Tages verdienen, als freie Menschen zu leben. Das heißt als Menschen, die sich weigern, Terror zu üben und Terror zu erdulden.*

Camus' Aufruf wäre ums Haar überhaupt nicht angehört worden. Bis zum letzten Augenblick wurde von Politikern und Polizei Druck ausgeübt, um den berühmtesten Algerier und einen der berühmtesten Schriftsteller der Welt am Reden zu hindern. Draußen pfiff und brüllte die Menge «Camus Verräter! Camus an den Galgen!» Es waren die Aktivisten, die «Ultras», die wie ihre Vorläufer der Restauration trotz des Krieges «nichts gelernt und nichts vergessen» hatten. Aber «angehört» bedeutet nicht «gehört», und der Aufruf blieb unbeantwortet. Der Krieg ging weiter, und auf beiden Seiten forderte er wahllos seine Opfer. Frauen, Greise, Kinder beider Lager hingemordet; Dörfer von den Franzosen niedergebrannt, «Verdächtige» verhaftet, willkürlich festgehalten, in den Gefängnissen gefoltert; Zivilisten von den Fellaghas ermordet, Säuglinge enthauptet, ihr Leib mit Steinen gefüllt ...

Morde, Gewalttaten, Lügen und Tod. Wohin Albert Camus sich immer wendet, nur noch von seinem Ruhm beschützt, überall erheben sich Fäuste gegen ihn. Für die Rechte ist er ein Verräter oder, schlimmer noch, ein «Überläufer», dessen Worte entstellt werden. Für die Linke ist er ein haltloser Idealist. Was er vorausgesagt hat, tritt ein. Die Haltung der einen wie der anderen wird unnachgiebiger, und was sich nun gegenübersteht, sind nur noch die Anhänger eines sowjetisierten Algerien und die Verteidiger des Kapitalismus, die über die Erdölfunde in der Sahara in größte Aufregung geraten. Die dunklen Jahre sind zurückgekehrt, und diesmal zeigt sich kein Ausweg. «Jede Mauer ist eine Pforte», sagte Emerson. Aber wo sie finden? Der Verbannte sucht, erforscht sich ... Nur das Exil antwortet ihm, das innere und äußere Exil.

Das innere Exil ... *La Chute (Der Fall)* ist Camus' einziges «hoffnungraubendes» Buch, das einzige, das in einer Zukunftsschau ohne Pforte endet, in spöttischer, trostloser Resignation.

Verschiedentlich sind *La Chute* und *L'Étranger* verglichen worden. Mag sein, einzelne Stellen, ein einzelner Mann, eine einzelne Stimme. Aber zwischen Meursault, dem die Grenzen sprengenden Unschuldigen, der von den Menschen schuldig gesprochen wird, und Clamans, dem Buß-Richter, der als Schuldiger die Schuldigen vor sein Gericht stellt, besteht ein ebenso großer Gegensatz wie zwischen Mittag und Mitternacht, zwischen der erhabenen Tragödie eines beinahe rituellen Sonnenmords und der niedrigen Komödie der Alltags-Verworfenheit, dem flammenden Himmel des Mittelmeers und den Nebelschwaden Hollands. Wiederum führt Camus uns in ein Land des Nordens, und zwar um — wie in der Beschreibung der Reise nach Prag in *L'Envers et l'Endroit* oder in gewissen Sätzen von

Le Malentendu – eine Atmosphäre der Luftleere, des Erstickens zu schaffen. Nur daß diesmal die Sehnsucht nach dem Süden kaum mitspielt und höchstens im Namen der Bar «Mexico-City» auftritt, jener Amsterdamer Kneipe, wo Clamans unter dem ausdruckslosen Blick des gorillaähnlichen Besitzers zu berichten beginnt, was uns zunächst wie eine gewöhnliche Beichte anmutet.

Johannes Clamans war nicht seit jeher der einsame Trinker, der zweifelhafte Verbannte und Winkeladvokat, der verbürgerlichten Zuhältern und Dirnen seinen juristischen Rat leiht und jeden Abend seine Geschäfte im Café erledigt, um dann in sein Zimmer im Judenviertel zurückzukehren, während der Genever, *der einzige Lichtblick in all dieser Düsternis*, ihm Trost und Wärme spendet. Ein paar Jahre zuvor war er in Paris ein glänzender Anwalt; er hatte alles für sich: Beredsamkeit, gutes Aussehen, vorzüglichen Ruf. Er war eben ein gediegener Mensch. Unter dem schwarzen Gewand des uneigennützigen Verteidigers der edlen Sachen pochte das Herz eines gerechten, gütigen Mannes. Ein solcher Mensch offenbart sein Wesen in den kleinen Dingen des Alltags, und so befleißigte Clamans sich methodisch, jeden Tag Gutes zu tun. *Ich liebte es zum Beispiel ungemein, den Blinden beim Überqueren der Straße zu helfen... Desgleichen war es mir immer ein Vergnügen, einem Passanten Auskunft oder Feuer zu geben, Hand anzulegen, wenn es einen zu schweren Karren oder ein stehengebliebenes Auto zu schieben galt, der Frau von der Heilsarmee ihre Zeitung abzukaufen oder bei der alten Händlerin Blumen zu erstehen, obwohl ich genau wußte, daß sie sie auf dem Friedhof Montparnasse stahl... Ich liebte es, Almosen zu geben. Ein höchst christlich gesinnter Freund gab einmal zu, daß man als erstes Unbehagen empfindet, wenn man einen Bettler auf sein Haus zukommen sieht. Nun, mit mir war es noch schlimmer bestellt: ich frohlockte.*

So müssen wir denn mit Clamans bekennen, daß dieser Mann dazu berufen ist, sich nur *in Höhenlagen* wohlzufühlen. Er glaubt nicht an Gott, doch ist sein Betragen das eines weltlichen Heiligen, der bei jeder Gelegenheit zur Pflichterfüllung «Hier!» ruft. Ehrlich gegenüber seinen Klienten, gegenüber den Frauen, den Freunden treu – vor allem den Sterbenden, deren Hand er nicht losläßt... Und im übrigen keineswegs ein Asket: *geschaffen, einen Leib zu haben*, in dem er sich wohlfühlt, herrscht er *frei in paradiesischem Licht*. Kurzum, er darf von einem *geglückten Leben* sprechen. Ein einziger Zwischenfall: eines Abends, als er in Paris über eine Brücke geht und mit sich selbst und der Welt zufrieden eine Zigarette anstecken will, hört er hinter sich ein Lachen. Er fährt herum – niemand.

Das Lachen hat nichts Geheimnisvolles, aber es ist, als wäre plötzlich ein anderer Clamans aus dem Dunkel aufgetaucht, ein klarsichtiger Clamans, der höhnisch auf seinen Doppelgänger weist.

Von diesem Augenblick an sieht Clamans sich mit anderen Augen. Schritt um Schritt entdeckt er die Kehrseite seiner edlen Persönlichkeit, und zwar wiederum an Hand von Kleinigkeiten. Ein Beispiel:

Wenn ich mich von einem Blinden trennte, den ich sicher auf die andere Straßenseite geleitet hatte, lüftete ich den Hut. Dieser Gruß galt natürlich nicht ihm, er konnte ihn ja nicht sehen. Wem also galt er dann? Dem Publikum. Nach der Vorstellung die Verbeugung. Nicht übel, wie? Clamans sagt nicht von ungefähr «Vorstellung». Seine Bescheidenheit, seine Güte waren allezeit vorgetäuscht, und zwar – was das Schlimmste ist – machte er sich selber etwas vor. Das anklagende Lachen zeigt ihm, daß seine Tugenden nur falscher Schein waren. *Natürlich hatte ich Prinzipien, so zum Beispiel, daß die Frau eines Freundes tabu sei. Indessen hörte ich einfach in aller Aufrichtigkeit ein paar Tage vorher auf, für den jeweiligen Ehemann Freundschaft zu empfinden.* Im Grunde war er nie etwas anderes als ein Komödiant. Sein Aushängeschild: *ein Doppelgesicht, ein reizender Januskopf, und darüber der Wahlspruch des Hauses «Trau schau wem».* Und doch ist er kein Ungeheuer, so wenig wie die meisten anderen Menschen. Nur beruhte seine Rolle als Tugendbold auf seiner völligen Gleichgültigkeit. *Wie soll ich es Ihnen erklären? Es glitt irgendwie ab. Ja, alles glitt an mir ab ... Im Grunde zählte überhaupt nichts. Krieg, Selbstmord, Liebe, Elend – natürlich schenkte ich ihnen Beachtung, wenn*

Gracht in Amsterdam

die Umstände mich dazu zwangen, aber immer mit einer Art höflicher Oberflächlichkeit. Zuweilen gab ich vor, mich für irgendeine Angelegenheit zu erwärmen, die nicht unmittelbar mein alleralltäglichstes Leben berührte. Im Grunde nahm ich indessen keinerlei Anteil daran, außer natürlich, wenn mir meine Freiheit gefährdet schien.

Sicher genügt ein gewöhnliches Lachen nicht, um Klarsicht zu schenken. Das anonyme Lachen, das Clamans auf dem Pont-des-Arts hört, ist nur die Kristallisation mehrerer bezeichnender Zwischenfälle. Wenn Clamans zurückdenkt, entdeckt er, daß er zu wiederholten Malen nicht eben gut abgeschnitten hat. Einmal hatte er ein recht klägliches Abenteuer mit einer Frau, ein anderes Mal hat er sich auf offener Straße ohrfeigen lassen. Bedenklich ist dabei nicht der Umstand, daß er öffentlich das Gesicht verlor, sondern die Entdeckung, daß er kein Gesicht mehr zu verlieren hatte. Dieser Dinge rühmt er sich denn auch nicht, nicht einmal vor sich selber, während er sonst sein eigenes Lob zu singen pflegt, *mit jener schmetternden Diskretion ... auf die ich mich so gut verstand.*

Aber da ist etwas viel Schwerwiegenderes, an das jenes Lachen ihn erinnert. Als er eines Nachts über eine andere Pariser Brücke ging, *eine Stunde über Mitternacht*, sah er im nieselnden Novemberregen eine schlanke, schwarz gekleidete junge Frau sich über das Geländer beugen. Er blickte sie an, und ihr *frischer, regennasser Nacken* ließ ihn nicht gleichgültig. Aber er kam eben von einer Freundin, seine Sinne waren befriedigt, und er ging weiter. Dann ereignete sich die Tragödie. *Ich hatte schon etwa fünfzig Meter zurückgelegt, als ich das Aufklatschen eines Körpers auf dem Wasser hörte; in der nächtlichen Stille kam mir das Geräusch trotz der Entfernung ungeheuerlich laut vor. Ich blieb jäh stehen, wandte mich jedoch nicht um. Beinahe gleichzeitig vernahm ich einen mehrfach wiederholten Schrei, der flußabwärts trieb und dann plötzlich verstummte ... Ich wollte laufen und rührte mich nicht ... Ich sagte mir, daß Eile not tat, und fühlte, wie eine unwiderstehliche Schwäche meinen Körper überfiel ... Reglos lauschte ich immer noch. Dann entfernte ich mich zögernden Schrittes im Regen. Ich benachrichtigte niemand ...*

Da hat man mir zum Beispiel von einem Mann erzählt, dessen Freund im Gefängnis saß und der jeden Abend daheim auf dem blanken Fußboden schlief, um keine Bequemlichkeit zu genießen, die dem geliebten Menschen versagt war. Wer, Verehrtester, wer wird unseretwegen auf dem blanken Fußboden schlafen?

Das ist die Frage nach der Heiligkeit. Zu einer anderen Zeit hätte Clamans, den der Schrei einer ohne Beistand gelassenen Frau sich selbst entdeckte, vielleicht dank der Gnade zur Gemeinschaft der Heiligen gefunden. Aber die Zeit der Gnade ist vorbei wie die der Heiligen. Wir leben in der Zeit der Schuldigen. *In der endlich eroberten und vollendeten Prozeßwelt wird ein Volk von Schuldigen ohne Unterlaß unter dem bitteren Blick der Großinquisitoren einer unmöglichen Unschuld entgegenziehen.* Diese Prophezeiung steht nicht in *La Chute*, sondern in *L'Homme Révolté*, aber Clamans ist ein treffendes Beispiel dafür. Was tun, nachdem das Verbrechen begangen ist? Clamans legt sich ehrlich die Frage vor. Gewiß ist er schuldig und sieht sich als Schuldigen. Aber das genügt nicht, auch die anderen müssen einen sehen und demzufolge richten. *Doch wer wagte es, mich zu verurteilen in einer Welt ohne Richter, in der keiner unschuldig ist?* Nicht schuldiger und nicht unschuldiger als alle anderen Menschen, von vornherein freigesprochen von den anderen und somit von sich selbst, erwacht Clamans in einer der Transzendenz beraubten Welt. Zunächst weigert er sich, es zu glauben. Er ist überzeugt, daß man ihn endlich durchschauen, ihm die Maske vom Gesicht reißen und ihn verlachen wird, und er versucht, diesem Lachen durch ein gewollt lächerliches, das heißt dem Bösen angepaßtes Gehaben zuvorzukommen. Unzucht, Alkohol, Skandale, Schriften wie eine *Ode an die Polizei* oder eine *Apologie des Fallbeils,* als unanständig empfundene Ausrufe wie *Mein Gott!* in einer Versammlung von Biertischatheisten – es hilft alles nichts. Abgesehen davon, daß er sich diesen Ausschweifungen nur mit Maß hingibt und daß das Jahrhundert so lau ist, vermag nichts das Bild zu zerstören, das die anderen Menschen sich von ihm gemacht haben; natürlich nicht: es ist das Merkmal ihrer Komplicität. Clamans erkennt, daß es *nicht genügt, sich anzuklagen, um sich zu entschuldigen,* er schließt seine Anwaltspraxis und vertauscht Paris mit Amsterdam, wo er in der Kneipe des Matrosenviertels seine letzte Rolle spielt, die des Buß-Richters. *Wenn wir niemand als unschuldig bezeichnen können, so können wir doch mit Gewißheit alle als schuldig bezeichnen.*

«Meinesgleichen» sagt man von einem anderen Menschen. Nie zuvor wurde dieser Ausdruck besser in die Praxis umgesetzt. Im «Mexico-City» thront Clamans an einem Tisch wie der Papst eines gewaltigen Konzentrationslagers, gleich unter seinesgleichen. Jeden Abend zieht er unter irgendeinem Vorwand einen einsamen Zufallsgast ins Gespräch und erzählt ihm sein Leben. Natürlich ist dies nicht eine gewöhnliche Beichte. Es ist eine Anklagerede. Nachdem Clamans sich selbst erkannt hat, zwingt er den anderen, sich ebenfalls selbst zu erkennen. Seine Methode ist ebenso geschickt wie wirksam: *Ich klage mich also an, und zwar recht ausgiebig ... Doch klage ich mich wohlgemerkt nicht etwa plump an, indem ich mich heftig an die Brust schlage. Ich laviere vielmehr äußerst geschickt und nehme unzählige Nuancen und auch Abschweifungen zu Hilfe, kurzum, ich stimme meine Rede auf den jeweiligen Zuhörer ab und bringe ihn dazu, noch lauter als ich in das gleiche Horn zu blasen. Ich vermenge die eigenen Belange mit dem, was die anderen betrifft. Ich stelle die gemeinsamen Züge heraus, die gemeinsamen Erfahrungen auch, die uns beschieden waren, die Schwächen, die wir teilen, den guten Ton, mit einem Wort, den Mann von heute, wie er in mir und in den anderen sein Unwesen treibt. Mit diesen Zutaten fabriziere ich ein jedermann und niemand ähnliches Porträt . . . Wenn das Bild fertig ist ... zeige ich es voll schmerzlicher Betrübnis vor: «So bin ich leider!» Die Anklagerede ist zu Ende. Im selben*

Augenblick wird das den Mitmenschen vorgehaltene Porträt zum Spiegel.

Clamans kann dank seiner Erfahrung, die seine Wahrheit geworden ist, die Reaktionen voraussehen, die dieser Spiegel auslöst. *Keine Entschuldigung, nie und für niemand, das ist der Grundsatz, von dem ich ausgehe.* Also keine Nachsicht, aber auch keine Verurteilung: *Bei mir wird nicht gesegnet und keine Absolution erteilt. Es wird ganz einfach die Rechnung präsentiert.* Wenn man Clamans' Beichtstuhl verläßt, ist man definiert, mit einem Etikett versehen, der Gruppe zugeordnet, in die man gehört. *Sie sind ein Sadist, ein Faun, ein Mythomane, ein Päderast, ein Künstler, und so weiter.* So wird alles normal, und es bleibt einem nur, sich bewußt in die im Entstehen begriffene Welt einzufügen, die sich in einer großen, trostlosen Prophezeiung ankündigt: *In der Philosophie wie in der Politik bin ich somit Anhänger einer*

«Die gerechten Richter». Tafel aus dem Genter Altar der Brüder van Eyck. (Ausschnitt)

jeden Theorie, die dem Menschen die Unschuld abspricht, und einer jeden Praxis, die ihn als Schuldigen behandelt. Mein Lieber, Sie sehen in mir einen aufgeklärten Befürworter der Knechtschaft ... Wenn wir alle schuldig sind, dann beginnt die Demokratie.

Die Demokratie der Inquisitoren, wie sie Iwan Karamasow im Traum erschien. Und Clamans ist *ein hohler Prophet für klägliche Zeiten,* Johannes der Täufer, der Vorläufer, vox clamans in deserto.

Es gibt keine Pforte in der Mauer. Kaum daß Clamans in der Wand seines Zimmers eine Schranktür hat, hinter der er *Die gerechten Richter* aufbewahrt, den gestohlenen Flügel eines Altarbilds von van Eyck. So hoffnungslos er auch sein mag, ein Licht ist in ihm geblieben, die Erinnerung an eine Reise nach Griechenland, das Bild einer unaussprechlichen Reinheit und Brüderlichkeit. *Seit jener Zeit treibt irgendwo in mir, am Saum meines Gedächtnisses, Griechenland selber unermüdlich dahin ...* Licht der Vergangenheit, Licht der Gegenwart: *Holland ist ein Traum aus Gold und Rauch ...* und dann die Tauben, die am niederländischen Himmel fliegen oder Schneeflocken gleich auf das Meer herabsinken und von denen Camus in Uppsala sagen sollte: *die großen Ideen kommen auf Taubenfüßen in die Welt.* Aber als Prophet der Zeit der Knechtschaft will Clamans nichts von einem Heil durch die Schönheit wissen. Die Schönheit hat er in seinen Wandschrank eingeschlossen, zusammen mit dem Altarbild, das in diesem Zimmer nur noch die Nützlichkeit besitzt, vielleicht eines Tages zu Clamans' Verhaftung zu führen, *weil ich somit Aussicht habe, ins Gefängnis zu kommen, was in gewisser Hinsicht ein reizvoller Gedanke ist ... Das wäre schon ein guter Anfang. Vielleicht würde man sich dann auch mit allem übrigen befassen und mich beispielsweise enthaupten; ich aber hätte keine Angst mehr vor dem Sterben und wäre gerettet.* Doch nein, kein Heil, keine Hoffnung, nur ein Teilen der Hoffnungslosigkeit.

So erzählen Sie mir doch bitte, was Ihnen eines Abends am Ufer der Seine widerfahren ist und wie Sie es fertiggebracht haben, Ihr Leben nie aufs Spiel zu setzen. Sprechen Sie selbst die Worte aus, die seit Jahren nicht aufgehört haben, in meinen Nächten zu widerhallen, und die ich letztlich durch Ihren Mund sprechen will: «O Mädchen, stürze dich nochmals ins Wasser, damit ich ein zweites Mal Gelegenheit habe, uns beide zu retten!» Ein zweites Mal, ha! welch ein Leichtsinn! Stellen Sie sich doch vor, lieber Herr Kollege, man nähme uns beim Wort! Dann müßten wir ja springen! Brr, das Wasser ist so kalt! Aber keine Bange! Jetzt ist es zu spät, es wird immer zu spät sein. Zum Glück!

So gibt es denn wirklich nur das Exil? Findet sich nicht irgendwo auch das Reich? Indem Camus diese beiden Ausdrücke im Titel eines Novellenbandes verwendet, gibt er zugleich das Thema an: die Suche nach einem Seinsgrund – oder seine staunenerfüllte Entdeckung – und antithetisch das Grauen vor dem Untergehen in einer entwür-

digten Welt. Es ist gut, zu wissen, daß *La Chute* ursprünglich die erste Novelle von *L'Exil et le Royaume (Das Exil und das Reich)* bilden sollte. In diesem Band findet sich nämlich eine Erzählung, die in mancherlei Beziehung mit dem bitteren Schicksal von Johannes Clamans verwandt ist. Es handelt sich um *Le Renégat (Der Abtrünnige)*, die Geschichte eines nach Martyrium dürstenden jungen Missionars, der eine Stadt in der Wüste bekehren will. Die Eingeborenen nehmen ihn gefangen, schneiden ihm die Zunge ab und zwingen ihn, ihrem grausamen Gott zu dienen. Der zuerst mit Gewalt unterworfene christliche Priester wird den Götzen schließlich anbeten. Er anerkennt die

Macht des Bösen, er verehrt eine dem Haß und der Grausamkeit ausgelieferte Welt, er liebt sein Sklavendasein; und als ein anderer Priester seiner Religion der Liebe kommen soll, um an seine Stelle zu treten, tötet er ihn. Diese furchtbare Geschichte bedarf keiner näheren Erläuterung. Sie könnte als bittere Fabel die Kapitel illustrieren, die in *L'Homme Révolté* dem Terror und der Einwilligung in die Knechtschaft gewidmet sind. Als entsetzlicher Widerruf geißelt sie auch die Kirche, die mit Caesar paktiert hat, die sich in der Ordnung der Gewalt einrichtet und schließlich «Jesus mit dem Kopf nach unten gekreuzigt hat», wie Nietzsche sagt.

Hochplateau in Kabylien

Die anderen Novellen dieses Bandes sind weniger lyrisch im Ton, weniger hoffnungslos. In *La Femme adultère (Die Ehebrecherin)* entdeckt die unbefriedigte Frau eines kleinen algerischen Kaufmanns eines Nachts auf einer Terrasse hoch über der Wüste die ganze zärtliche und erhabene Schönheit der Welt, ein aufwühlendes Bild, das, kaum gegeben, schon wieder genommen wird, eine schmerzliche Schau des Lebens von ungeahnter Tragweite. In *Les Muets (Die Stummen)* begegnen die Arbeiter einer Faßbinderei am Tag nach einem gescheiterten Streik den Versöhnungsversuchen ihres Arbeitgebers mit beharrlichem Schweigen. Unvermittelt wird das Töchterchen des Besitzers auf den Tod krank, und im gleichen Augenblick verwandelt sich das würdige Schweigen der Arbeiter in Ohnmacht. In *La Pierre qui pousse (Der treibende Stein)* kommt der französische Ingenieur D'Arrast nach Iguape in Brasilien, um dort einen Damm zu bauen. Er wohnt einem Eingeborenenfest bei, in dessen Verlauf ein Schwarzer in Erfüllung eines Gelübdes einen schweren Stein in der Prozession mittragen und zu Füßen der Muttergottesstatue in der Kirche niederlegen soll. Aber der Mann hat sich zuviel zugemutet und bricht zusammen. D'Arrast nimmt den Stein an seiner Statt, trägt ihn aber nicht in die Kirche, sondern in die Hütte des Schwarzen.

Halten wir einen Augenblick inne, um festzustellen, daß in allen diesen Novellen ein wesentliches Anliegen Camus' zum Ausdruck kommt: die Liebe zur Natur im Gegensatz zur Unterwerfung unter eine Kirche oder eine Gesellschaftsmoral, die Erlösung durch die Schönheit und die Erde. Janine, die «Ehebrecherin», betrügt ihren Mann nicht mit einem anderen Mann, sondern mit den weiten Räumen der Nacht, denen sie sich entgegenöffnet. *Da begann mit unerträglicher Milde das Wasser der Nacht Janine zu erfüllen, es begrub die Kälte unter sich, von dem geheimen Mittelpunkt ihres Wesens stieg es nach und nach empor und drang in ununterbrochener Flut bis in ihren von Stöhnen übergehenden Mund. Im nächsten Augenblick breitete der ganze Himmel sich über ihr, die rücklings auf der kalten Erde lag.* D'Arrast steht im Bann des brasilianischen Urwalds, und Yvars in *Les Muets* wagt das Meer nur noch in den goldenen Abendstunden zu betrachten, denn es erinnert ihn an eine entschwundene Jugend und eine gegen die Pflichterfüllung eingetauschte Freiheit.

Aber noch etwas anderes haben diese Erzählungen gemeinsam: die schiefe Situation. Janine ist gezwungen, ihr Tun vor ihrem Mann zu verheimlichen; D'Arrast ist ein Fremder unter den Eingeborenen; die Arbeiter der Faßbinderei sind die Gefangenen ihres selbstgewählten Schweigens. In den beiden übrigen Novellen tritt diese schiefe Situation in den Vordergrund.

L'Hôte (Der Gast) spielt in dem vom Krieg heimgesuchten Algerien. In einer kleinen Dorfschule am Abhang eines Hügels steht Daru, der Lehrer. Es ist Winter, es hat geschneit, die Kinder sind ferngeblieben, und Daru ist allein. Dann taucht ein Gendarm auf, der einen an den Händen gefesselten Araber mit sich führt. Der Araber hat in einem Familienzwist einen Verwandten erschlagen. Der Gendarm hat Auftrag, den Gefangenen von Daru zum Richter bringen zu lassen und selber sofort auf seinen Posten zurückzukehren. Daru lehnt zunächst ab, aber der Gendarm erklärt ihm, erstens sei es ein Freundschaftsdienst und zweitens ein Befehl. Als Daru mit dem Araber allein ist, löst er seine Fesseln und gibt ihm zu essen. Wenn er in der Nacht entflieht, ist alles gut... Aber der Araber flieht nicht, und Daru muß handeln. Er geht also mit seinem «Gast» bis ans Ende der Hochebene und läßt ihm dort die Wahl: im Osten die Stadt und die Polizei, im Süden die Nomaden und die Freiheit. Der Araber zögert einen Augenblick und schlägt dann den Weg ins Gefängnis ein. Daru kehrt in seine Schule zurück. Er hat die Freundschaft des Gendarmen verloren, dem er verdächtig geworden ist. Und auf der Wandtafel erwarten ihn die Worte: *«Du hast unseren Bruder ausgeliefert. Das wirst du büßen.» Daru sah den Himmel, die Hochebene und was sich unsichtbar dahinter bis zum Meer erstreckte. In diesem weiten Land, das er so sehr geliebt hatte, war er allein.*

Wenn Darus Tragödie Camus' eigene tragische Stellung im Algerienkonflikt widerspiegelt, so verdeutlicht *Jonas* sehr schön eine Erfahrung, auf die Camus 1959 zu sprechen kam, als Jean-Claude Brisville ihn über seinen frühen Erfolg ausfragte. *Es stimmt, daß ich die Lasten des Bekanntseins kennengelernt habe, ehe ich alle meine Bücher geschrieben hatte. Das deutlichste Ergebnis besteht darin, daß ich der Gesellschaft die Zeit für mein Werk abtrotzen mußte und muß. Ich bringe es fertig, aber es kostet mich einige Mühe.* Jonas ist Maler, und zwar ein erfolgreicher Maler. Das Glück wollte, daß er in jungen Jahren bekannt wurde, Aufträge erhielt, Geld und Ruhm und zudem eine reizende, kluge Frau gewann, die ihm drei Kinder schenkte. Und nun beginnen die Schwierigkeiten: soviel Erfolg lockt Freunde an, und bald sieht Jonas sich zu jeder Tages- und Nachtzeit von Freunden umgeben, die ihn besuchen, ihn anrufen, zum Essen bleiben, mit ihm plaudern wollen *(«Lassen Sie sich bitte nicht stören!»)*, die ihn um Hilfe, politische Stellungnahme angehen. Am schlimmsten sind die Schüler: sie *erklärten ihm des langen und breiten, was er gemalt hatte und warum.* Kurzum, es herrscht ein ungeheurer Betrieb. *So verging die Zeit. Er malte, umgeben von Freunden und Schülern, die auf den nunmehr halbkreisförmig um die Staffelei angeordneten Stuhlreihen saßen. Häufig kam es auch vor, daß Nachbarn an den gegenüberliegenden Fenstern auftauchten und so die Zahl seiner Zuschauer vergrößerten.* Das Ende ist leicht zu erraten: Schüler, Freunde, Feinde, Frau und Kinder treiben ihn langsam aber sicher in den Wahnsinn. Er möchte fliehen und stößt sich an den Mauern; er stellt seine Staffelei im Gang auf, im Schlafzimmer, in der Küche – vergeblich. Zuletzt kauft er sich ein paar Bretter und baut einen Zwischenboden auf halber Höhe des Flurs. Dort oben richtet er sich ein, endlich allein, und schickt sich an, endlich wieder zu malen. Aber malt er wirklich? Er wird krank. Der Arzt versichert, es sei nur ein wenig Überarbeitung, nichts Schlimmes. Aber auf seinem

Zwischenboden findet sich nur eine Leinwand. *Sie war völlig weiß. Nur in der Mitte hatte Jonas mit ganz kleinen Buchstaben etwas geschrieben, das man wohl entziffern konnte, ohne indessen sicher zu sein, ob es heißen sollte «Allein» oder «Alle ein».*

Allein – alle ein. Dieses Gefühl ist für Camus selbst bezeichnend, der sich seit 1956 mehr denn je in einer schiefen Lage befand. Seine Stellungnahme im Algerienkonflikt hatte ihm endgültig die Feindschaft der äußersten Linken eingetragen, so daß jedes Gespräch unmöglich wurde. Seit seinem Artikel *Algérie 58* äußerte Camus sich nicht mehr zu diesem Problem. Aber manche seiner Freunde wissen, daß sein Schweigen keine Abkehr bedeutete. Bis zu seinem Tod kämpfte er um eine gerechte Lösung. Und während so viele ruhmlose Autoren mit lautem Getöse eitle Überzeugungen verkündeten, sah man diesen Nobelpreisträger unauffällig in Cafés mit Arabern diskutieren, die guten Willens zu sein schienen, um sich mit ihnen auf einen geduldig von ihm ausgearbeiteten Friedenstext zu einigen. Aber seine Bemühungen schlugen fehl: von der Rechten wie von der Linken als Verräter betrachtet, konnte er sich keinem Lager anschließen, ohne sich selbst untreu zu werden. 1957 veröffentlichte er eine leidenschaftliche Schrift gegen die Todesstrafe. Damit ging er an die Wurzel des Übels, aber das trug ihm nur François Mauriacs Spötteleien in der Wochenzeitung «L'Express» ein. Der Arbeiteraufstand in Ostberlin und die Erhebung des ungarischen Volkes geben Anlaß zu den erbittertsten Angriffen der links-extremen Presse. In beiden Fällen, immer allein und immer solidarisch, nimmt Camus in Wort und Schrift Stellung. Besonders im Fall Ungarns wendet er sich an alle Schriftsteller Europas und fordert sie auf, an die UNO zu gelangen. Damit nicht genug, er hilft – aber das wird man erst nach seinem Tod erfahren – den Frauen der verhafteten oder hingerichteten ungarischen Schriftsteller auch materiell. Der Fall Pasternak wühlt ihn auf und verstärkt noch die ihn umgebende Feindseligkeit.

Natürlich wird Camus nicht von allen angegriffen. Jeden Tag gewinnt er neue Leser, neue Freunde, und schließlich findet ein echter Schöpfer in sich auf alles eine Antwort. «Wie haben Sie im ersten Augenblick auf die gegen Sie persönlich gerichteten Angriffe reagiert?» fragte Brisville. *Ach, zuerst war ich betrübt ... Und dann habe ich bald das Gefühl wiedergefunden, das mir in allen Widerwärtigkeiten Hilfe gewährt, daß dies nämlich dazugehört. Kennen Sie den Ausspruch jenes Mannes, der wider Willen ein großer Einsamer war? «Sie lieben mich nicht. Ist das ein Grund, sie nicht zu segnen?» Nein, in gewissem Sinn ist alles, was mir widerfährt, richtig. Im übrigen sind diese lauten Ereignisse nur von untergeordneter Bedeutung.* Soll Kléber-Haedens also ruhig in «Paris-Presse» schreiben: «Camus' Werk ist in erster Linie ein Palaver tiefgekühlter Produkte», soll Jacques Laurent in «Arts» versichern: «Der Camus verliehene Nobelpreis krönt ein Werk, das fertig ist» – Camus läßt sich von den Wechselfällen der immer noch fortdauernden «Pestzeit» nicht anfechten. Er spürt in sich ein *Übermaß an lebenspendenden und hei-*

lenden Kräften, er ist sich stolz *einer geradezu bestürzenden Vitalität* bewußt. (30) Aber wie jeder Kämpfer sehnt auch er sich zuweilen nach einer Atempause. *Zweifellos kann man sich eine sanftere Flamme wünschen, und auch ich wünschte sie, ein Atemholen, eine Rast, die zum Träumen einlädt ...* (31) Camus weiß bereits, wo er die Atempause finden kann, dort, wo er sie schon während seines Journalistenkampfs in Algerien gefunden hatte, nämlich im Theater.

Gewiß ist Clamans nicht Camus, doch sagt er etwas, das Camus geradesogut von sich selber hätte sagen können: *Auch jetzt noch sind die sonntäglichen Sportveranstaltungen in einem zum Bersten gefüllten Stadion und das Theater, das ich mit einer Leidenschaft ohnegleichen liebte, die einzigen Stätten auf der Welt, wo ich mich unschuldig fühle.*

Albert Camus bei den Proben zu «Requiem für eine Nonne»

Das Theater ist ein Reich von überall und nirgends, mit seinen eigenen Gesetzen, seinen Verordnungen, seinen Traditionen, die um so strenger sind, als sie in der Abgeschlossenheit wirken und sich nur als Echo selbst antworten. An der Schwelle zum Bühneneingang steht die Welt still: Gut und Böse, Richter und Schuldige haben aufgehört, zu sein. Man kann diese privilegierte Welt hassen oder unbeachtet lassen oder sich über ihre Schrullen lustig machen, wie dies alle tun, die sie lieben. Aber täuschen wir uns nicht: wenn die Kirchen und die Diktatoren das Theater allezeit verdammt haben, so eben wegen jener «Unschuld», die ihnen Trotz bietet, und auch wegen jener tiefen Wahrheit, die sich unter Kostümen und Masken verbirgt. Das Theater ist Illusion, das heißt das Gegenteil von Lüge.

Es gibt in Frankreich wie in allen anderen Ländern unzählige Liebhaber-Bühnen. In Camus' Leben nimmt die algerische Truppe «L'Equipe» bis 1953 einen mehr oder weniger nebensächlichen Platz ein. In seinen Jugendjahren hatte Camus sich daran beteiligt, Stücke inszeniert und auch gespielt. So besitzen wir wenigstens ein überraschendes Photo von ihm als Olivier le Daim, eine kleine Rolle in Théodore de Banvilles Stück «Gringoire», das 1935 von der Truppe von Radio-Alger aufgeführt wurde. Jedermann war sich darin einig, daß es für den Autor von *Caligula* höchst nützlich gewesen war, sich praktisch mit Theaterdingen zu befasssen. Nur Sartre wußte, daß mehr dahinter steckte, und war 1944 geneigt, die Rolle von Garcin in «Huis-Clos» Camus anzuvertrauen. Aber schließlich wurde sie doch an einen Berufsschauspieler, Michel Vitold, vergeben.

1953 kehrt Camus plötzlich zum Theater zurück, und zwar anläßlich der Festspiele von Angers. Seit zwei oder drei Jahren, seit Jean Vilar und Gérard Philipe im Papstpalast zu Avignon triumphale Erfolge erlebten, waren diese Festspiele aufgekommen, die das Prestige des Theaters mit den Annehmlichkeiten der Freilichtunterhaltung verbanden. Das Städtchen Angers mit seiner ruhmreichen künstlerischen Vergangenheit wollte nicht hintanstehen und bot Jean Marchat und Marcel Herrand den Schloßhof als Bühne an. Die angekündigten Stücke waren «La Devoción de la Cruz» von Calderon und «Les Esprits» von Larivey, beide von Camus bearbeitet und inszeniert. Mit einem Schlag zählt Camus nun zu den großen Regisseuren seines Landes. Die Kritik rühmt einhellig die vortreffliche Ausnützung des Rahmens in «La Devoción», die ergreifende Schönheit der großartig «geführten» Maria Casarès und die Einheitlichkeit der ganzen Aufführung.

Daß Camus diese beiden Stücke inszenierte, war zunächst dem traurigen Umstand zu verdanken, daß Marcel Herrand erkrankte. Camus prägt der Regie keinen neuen Stil auf wie etwa Vilar zu dieser Zeit; er begeht sogar gewisse Irrtümer: übermäßige Verwendung von Amateuren als Statisten, übertriebene Einbeziehung des äußeren Rahmens – auf den alten Mauern des Schlosses von Angers wirken die Schauspieler notgedrungen «verkleidet» – und zögerndes Tempo der Aufführung. Aber gemessen an der Straffheit des Ganzen fallen diese Mängel nicht ins Gewicht. Camus versteht es, eine Truppe in Zucht zu halten und ihr seinen Willen mitzuteilen. Er findet für jeden Schauspieler die richtigen Worte, um ihn «in seine Rolle schlüpfen» zu lassen. Er besitzt Sinn für Bewegung, Aufstellung, Lichterspiel und scheut nicht vor szenischen Kühnheiten zurück, die zu wagen manch ein erfahrener Regisseur sich nicht getraut hätte. Kurzum, er erweist sich als «Fachmann», der sich auf der Bühne ebenso heimisch fühlt wie früher als Journalist in einer Druckerei. Wiederum der vertraute Umgang zwischen «Boss» und «Ausführenden». Wer das Theater kennt, weiß, wie schwer eine solche Harmonie zu erreichen ist. Die Schauspieler, diese «merkwürdigen Geschöpfe», wie Molière sie nannte, sind zuweilen wie große Kinder, die bald gelobt, bald bestraft werden müssen. Vor allem muß man sie lieben: sie zehren von ihren Nerven, sie leben in ständiger Spannung, sie spielen jeden Abend um ihr Leben. Camus beherrschte offensichtlich die Kunst, sich bei ihnen Gehör zu verschaffen. Das lag keineswegs an seinem Ruhm: die Schauspieler lassen sich davon nicht beeindrucken! Es lag vielmehr an seinem ausgeprägten Sinn für Gemeinschaftsarbeit, an seinem Verantwortungsgefühl und an seiner Treue zu seinen Darstellern. Und schließlich besaß er die ganz besondere ausgesprochene Theatergabe der «Präsenz».

Wenn Camus nicht früher zum Theater zurückkehrte, so war daran wahrscheinlich vor allem sein Gesundheitszustand schuld. Seine Lungenkrankheit geriet ein wenig in Vergessenheit, seit man weiß, daß er nicht daran gestorben ist. Aber vermutlich hat doch gerade sie ihn – trotz der «Vitalität», die sich in der Folge seiner Werke erwies – vorübergehend vom Theater ferngehalten, das eine besonders kräftige Konstitution erfordert. Wie dem auch sei, von 1953 an betrat er wieder häufiger das köstliche «Reich der Unschuld».

Im Oktober 1956 wurde im kleinen Théâtre des Mathurins William Faulkners «Requiem for a Nun» in Camus' Bearbeitung und Inszenierung aufgeführt. Es ist bemerkenswert, daß es sich wie bei «La Devoción» um ein Stück christlicher Eingebung handelt. Das Thema des in Dialogform gehaltenen Romans ist bekannt; Camus' Bearbeitung bestand hauptsächlich in der Straffung und Dramatisierung des Stoffs. Das Thema der Sühne erinnert an Dostojewski: um ihre Herrin aus Laster und Verderbnis zu erretten, begeht die Negerin Nancy Mannigoe einen Mord und läßt sich dafür hängen. «Requiem for a Nun» ist die Fortsetzung von «Sanctuary», und die größte Schwierigkeit bestand darin, die langen Monologe der Hauptfigur, Temple Drake, «bühnenwirksam» zu machen. Camus löste dieses Problem in Bearbeitung und Regie auf mustergültige Weise. Das Bühnenbild war sehr einfach gehalten und bezog Verwandlungen und Spiel der Vorhänge ein. Die Darsteller mußten ein Maximum an dramatischer Spannung mit einem Minimum an Gesten verbinden. Das Schauspiel lief Gefahr, melodramatisch zu wirken, aber Camus gab ihm die Dimension der Tragödie, und zwar einer lebendigen Tragödie, ohne die Starrheit und Lehrhaftigkeit der Piscator-

Probe zu «Le Chevalier d'Olmédo» für die Festspiele von Angers

Aufführung in Deutschland. «Von zwei oder drei Ausnahmen abgesehen», schreibt Jean Vilar (32), «habe ich sicher allen Aufführungen von Albert Camus beigewohnt. Was er aus ‹Requiem› gemacht hatte, erregte meine Bewunderung. Das hatte natürlich zahlreiche Gründe. Aber was mich am meisten beeindruckte und mir noch jetzt am lebhaftesten in Erinnerung ist, war seine feinfühlige Art, die Schauspieler zu führen. An jenem Abend war die hundertste Vorstellung bereits überschritten, und doch war nichts schwerfällig, matt oder nachlässig.» Und Vilar fügt hinzu: «Ich wußte, daß er oft die Vorstellung besuchte. Auch nach der Premiere überließ er die Aufführung und die Schauspieler nicht ihrem Schicksal. Er wußte, daß der Schauspieler an gewissen Abenden einem plötzlichen, vom Willen unabhängigen Versagen unterworfen ist, daß Ticks ihn bedrohen, und er wußte, daß dies das Schlimmste ist.»

«Requiem pour une Nonne» erzielte einen gewaltigen Erfolg und wurde zwei Jahre lang ununterbrochen gespielt, so daß auf den Plakaten schließlich beide Autoren als Nobelpreisträger figurierten. Eines Abends war der Schauspieler, der den Gouverneur spielte, unpäßlich, und Camus sprang für ihn ein, «um die Kasse zu retten». Natürlich verlangte er, daß diese Umbesetzung nicht ausposaunt wurde. Schade, denn Camus war ein ausgezeichneter Schauspieler, einfach in Geste und Haltung, richtig im Ton, mit einer dunklen, gesetzten Stimme, in der ein Rest seines südlichen Akzents mitschwang.

1957 nimmt Camus wieder an den Festwochen von Angers teil und inszeniert *Caligula* und die Tragikomödie «El Caballero de Olme-

Prières de l'absent

II

La pièce doit débuter en feu d'artifice, continuer en lente flamme, s'achever en incendie. Alors, n'oubliez pas, les pompiers brûlent tous les feux.

Solche Zettel mit der Überschrift «Bitten des Abwesenden», auf denen er Anweisungen und Wünsche an die Schauspieler notiert hatte, schickte Camus, wenn er an den Proben nicht teilnehmen konnte, an das Theater, in dem seine Stücke vorbereitet wurden. Auf dem oben abgebildeten Zettel heißt es: «Das Stück soll beginnen wie ein Feuerwerk, fortfahren wie eine stetige Flamme, enden wie eine Feuersbrunst. Vergeßt nicht, daß die Feuerwehr auch bei Rot durchfährt.» Der Zettel auf Seite 145 oben besagt: «Rasch und heftig: Austerlitz. Weich und langsam: Waterloo.» Der Zettel darunter: «Wenn der Reifen zu langsam rollt, fällt er. Zum Rollen aber ist er geschaffen. Also rollt!»

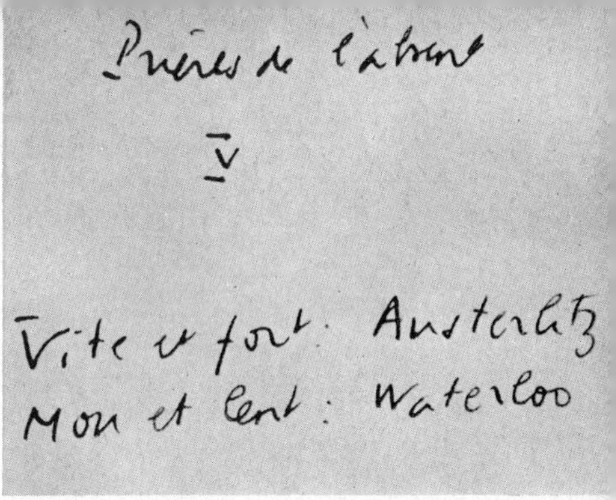

Prières de l'absent

V

Vite et fort : Austerlitz
Mou et lent : Waterloo

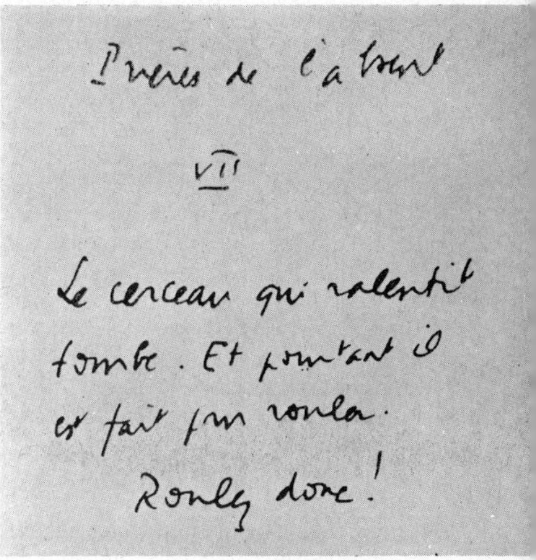

Prières de l'absent

VII

Le cerceau qui ralentit tombe. Et pourtant il est fait pour rouler.
Roulez donc!

do» von Lope de Vega, die er natürlich selber bearbeitet hat. *Caligula,* das Caesarenstück voll gedämpfter Verschwörungen als Freilichtaufführung in den Rahmen des mittelalterlichen Schlosses von Angers zu stellen, war kein sehr einleuchtender Gedanke, und die «Tragödie des Geistes» löste sich denn auch in alle Winde auf. Um so begeisternder war «Le Chevalier d'Olmédo», ein Stück, das eine sehr kurze und überaus schöne Geschichte erzählt: ein vornehmer, stattlicher junger Mann kommt zu einem Fest, begegnet dort einem jungen Mädchen, in das er sich verliebt und von dem er wiedergeliebt wird. Auf dem Heimweg wird er von einem Eifersüchtigen ermordet. Camus stellte dieses blitzartige Geschick in eine musikerfüllte Nacht. Es war ein vollkommenes Erlebnis. *Caligula* wurde im folgenden Winter mit mehr Ruhe auf der schmalen Bühne des Théâtre de Paris wieder aufgeführt, aber zu diesem Zeitpunkt dachte Camus bereits vor allem an das nächste große dramatische Werk, seine Inszenierung von *Les Possédés.*

Der Plan beschäftigte ihn schon seit der Zeit, da er die «Brüder Karamasow» auf die Bühne gebracht hatte. Warum lag ihm daran, Dostojewskis Roman zu dramatisieren? Ist es nicht ein ziemlich eitles Unterfangen, ein Meisterwerk in eine andere Gattung überführen zu wollen und es gewissermaßen zu popularisieren, als füllte man den Inhalt einer Amphore in Flaschen ab? Die grundsätzliche Kritik war gewiß berechtigt, doch ließen wir so ziemlich alle Einwände fallen, als wir im Théâtre Antoine der Aufführung beiwohnten.

Selbstverständlich war keine Rede davon, das ganze Romanwerk auf die Bühne zu bringen. Obwohl die Vorstellung beinahe vier Stunden dauerte und die beiden kurzen Pausen von Camus bald auf eine einzige beschränkt wurden, mußten ganze Teile des Romans geopfert werden, so zum Beispiel die Kapitel, die den Gouverneur betreffen und den Skandal beim Ball. Lisa Drosdowas Gestalt wurde vereinfacht und Stepan Trofimowitsch Werchowenskis Leben bei Warwara Stawrogina in wenigen, von einem Erzähler gesprochenen Sätzen zusammengefaßt. Und schließlich gab es einen Abschnitt – Schatows Ermordung –, der sich nicht für die Bühne zu eignen schien und sich tatsächlich nicht einordnen ließ. Aber im übrigen erteilte Camus mit *Les Possédés* allen Bearbeitern eine Lehre der Treue. Er ließ Dostojewski sprechen und nur ihn, er trat hinter ihm zurück und verdichtete den Roman zu einem harmonischen Ganzen, das jedes Publikum ansprechen konnte. Die aufeinanderfolgenden Bilder waren durch erklärende Texte des Erzählers verbunden. Ein gewaltiges Unterfangen, das zu einem guten Ende geführt wurde.

Es ist in Frankreich üblich, daß die in Paris erfolgreichen Stücke in der nächsten Saison auf Tournee durch die französischen Provinzen und die französisch sprechenden Länder gehen. So beschloß die Theatergruppe Herbert, *Les Possédés* in ihr nächstes Programm aufzunehmen.

Camus arbeitete inzwischen an seinem nächsten Roman, *Le premier Homme*. Als er von der geplanten Tournee hörte, beschloß er, die Inszenierung umzugestalten, was wiederum beweist, wie recht Jean Vilar hatte, wenn er Camus als einen bis ins letzte gewissenhaften Regisseur bezeichnete. Die Besetzung mußte zum Teil geändert werden, und Camus überlegte sich ernstlich, ob er nicht die Rolle des Erzählers übernehmen sollte. Aber da war sein Roman, von dem er zum Grafen Antonini gesagt hatte: *1960 wird das Jahr meines Romans. Ich habe den Plan fertig und bin ernsthaft an der Arbeit. Es wird lange dauern, aber es wird mir gelingen.*

Nicht allein die Arbeit an *Le premier Homme* hielt ihn in Paris zurück. Seit einigen Monaten war die Rede davon, Camus die Leitung eines Theaters zu übergeben. Der Vorschlag stammte von André Malraux, der seit dem Beginn der Fünften Republik Kultusminister ist. Gewiß hätte Camus eine Pariser Bühne zu einer Hochburg des Dramas gemacht. Aber war ihm wirklich so viel daran gelegen? Als ich ihn im September 1959 während der Proben der *Besessenen* in einem Vorort von Paris aufsuchte, sagte er mir, daß er die Freilichtbühne dem «geschlossenen» Theater in der Hauptstadt vorzog, *weil es vor allem darauf ankommt, junge Autoren heranzubilden. Und wenn Frankreich eines Tages einen Shakespeare hervorbringen soll, so wird eine Festspielinszenierung den Anstoß geben.* Er gedachte wieder nach Angers zu gehen und dann trotz des Krieges nach Oran ... Darauf kehrte er zur Probe zurück, und von neuem sah ich ihn in der Ausübung dieses geliebten Berufs, seine Truppe führend wie ein Dirigent sein Orchester, leidenschaftlich, unermüdlich, peinlich genau, mit sanfter Festigkeit und Humor ...

Die Premiere der Tournee fand in Reims statt. Camus war da, trennte sich dann für drei Wochen von der Truppe und fand sie in

Lausanne wieder. Michel Gallimard begleitete ihn auf dieser Reise. Camus berichtigte an der Aufführung, was ihm nicht ganz zu klappen schien, und fuhr dann nach Lourmarin, um an seinem Roman zu arbeiten, ehe er die Truppe nach Nordafrika begleiten würde. Doch unterbrach er seinen Aufenthalt noch zweimal, um bei seinen Freunden zu sein, erst in Fontainebleau, dann in Marseille. An jenem Abend in Marseille, das nicht weit von Lourmarin entfernt ist, entdeckte ihn der Photograph einer Provinzzeitung unter den Zuschauern. Das Photo – wohl das letzte, das von ihm aufgenommen wurde – zeigt die lachenden Gesichter des Publikums rings um Camus, der mit ernster Miene «seine» Darsteller überwacht.

Szene aus «Les Possédés» mit Huguette Forge, der Frau von Morvan Lebesque, als Marja Lebjadkina

4. Januar 1960. Die Compagnie Herbert hat in Paris drei Tage Ruhe eingeschaltet und bricht nach Tourcoing auf. Ein Freund von Camus fragt beim Abschied seine Frau, eine Schauspielerin der Truppe: «Wo ist Camus jetzt?» – «In seinem Haus in Lourmarin.» Und der Mann schreibt einen Briefumschlag mit Namen und Adresse: Neujahrswünsche. Er wirft den Brief ein. Es ist 14 Uhr 05. Um 15 Uhr ist der Bus mit der Truppe unterwegs. Zwischenhalt in Lille. Pierre Blanchar wird ans Telephon gerufen. Die Agentur France Presse. «Hallo, Pierre Blanchar? Was sagen Sie zum Tod von Albert Camus?» Am Abend, in Tourcoing, mußte dennoch gespielt werden. Und Marja Lebjadkina, Marja die Hinkfüßige, Marja die Verrückte, weist auf eine Karte in ihrem Spiel und ruft: *Oh, der Tod! Ich sehe den Tod!*

Noch drei Tage lang erhielten die Schauspieler auf ihrer Tournee Briefe von Camus, von Lourmarin aus geschickt, in der Zustellung verzögert: *Guten Mut. Gute Arbeit. Ich vergesse euch nicht. Ich bin bei euch.*

Der Sarg wird aus dem Rathaus von Petit-Villeblevin getragen
Der Leichenwagen bringt den Sarg nach Lourmarin

Das Begräbnis auf dem Friedhof von Lourmarin

Das Grab

ALBERT CAMUS

Der Gehorsam eines Menschen seinem eigenen Genie gegenüber, das ist Glaube schlechthin. (Emerson)
Von Camus in *Der Künstler und seine Zeit* zitiert.

Das erste, was einem an Camus auffiel, war seine Schlichtheit. Ich habe keinen anderen berühmten Mann gekannt, der sich so wenig aufspielte, selbst an jenem Oktoberabend des Jahres 1957, als der frischgebackene Nobelpreisträger in Paris einer wichtigen Theaterpremiere beiwohnte. Die Hunderte von Blicken, die sich auf ihn richteten, machten ihn weder verlegen noch steif; er lächelte und sprach so unbefangen von der Vorstellung wie irgendein Unbekannter. Mehr als einmal habe ich ihn so selbstverständlich inmitten seiner Schauspieler in einem Café sitzen sehen, daß die Journalisten zögerten, ihn anzusprechen: sie fanden, die Berühmtheit könne nicht so aussehen. Oft fühlte man auch jenes «abwesend-anwesend» in ihm, das der folgende Text, wie ich selber bezeugen kann, treffend beschreibt:

An gewissen Theaterpremieren — Treffpunkt der Leute, die sich voll Überheblichkeit als «das Salz von Paris» bezeichnen und denen ich nur bei solchen Gelegenheiten begegne — habe ich zuweilen den Eindruck, daß der Raum sich verflüchtigen wird, daß diese Welt, so wie sie scheint, nicht existiert. Die anderen vielmehr erscheinen mir wirklich, die großen Gestalten, die auf der Bühne ihre Stimmen erheben. Um dann nicht die Flucht zu ergreifen, muß ich mir in Erinnerung rufen, daß ein jeder unter diesen Zuschauern auch eine Verabredung mit sich selber hat, daß er sich dessen bewußt ist und sich zweifellos gleich zu dieser Begegnung aufmachen wird. Alsbald wird er wieder zum Bruder: die Einsamkeit verbindet die Menschen, die die Gesellschaft trennt. Wie kann man dies wissen und trotzdem dieser Welt schöntun, nach ihren lächerlichen Vorrechten trachten, sich dazu herbeilassen, alle Verfasser aller Bücher zu beglückwünschen, auf augenfällige Art dem günstig gesinnten Kritiker danken, wie versuchen, den Gegner für sich zu gewinnen, wie vor allem die Komplimente und jene Bewunderung entgegennehmen, von der die französische Gesellschaft — zumindest in Gegenwart des Autors, denn sobald er den Rücken kehrt! ... — so schrankenlos Gebrauch macht wie von Apéritifs und schmalzigen Wochenblättern? Ich bringe nichts von alledem fertig, das ist nun einmal so. Vielleicht steckt vor allem der mir eigene Hochmut dahinter, dessen Ausmaß und Macht ich kenne. Aber wenn es weiter nichts wäre, wenn es einzig um meine Eitelkeit ginge, dünkt mich im Gegenteil, ich sollte mich nach außen hin des Kompliments erfreuen, anstatt immer wieder Unbehagen zu verspüren. Nein, die Eitelkeit, die ich mit meinen Berufskollegen teile, regt sich hauptsächlich angesichts gewisser Kri-

tiken, die ein gut Teil Wahrheit enthalten. Nicht der Stolz läßt mich ein Kompliment mit der mir so wohlbekannten widerborstigen und verstockten Miene entgegennehmen, sondern (verbunden mit jener angeborenen, tief in mir sitzenden Gleichgültigkeit) ein seltsames Gefühl, das mich dann beschleicht: «Darauf kommt es nicht an», und darum ist das sogenannte Ansehen manchmal so schwer zu ertragen, daß man mit einer Art boshaften Lust alles tut, um es zu verlieren. (33)

Physisch war Camus schwer zu «fassen». Niemand weiß, welcher Maler, welcher Bildhauer ihn dank der Umsetzung durch die Kunst so darzustellen vermocht hätte, «wie die Ewigkeit ihn endlich in sich selbst verwandelt», denn sein Gesicht, das im Profil ganz anders wirkte als von vorne, ist immer nur von Photographen abgebildet worden, die es im allgemeinen eilig hatten. Außerdem waren sie darauf bedacht, dem Mann, den einer dieser Photographen in meiner Gegenwart bewundernd «ein großer Herr!» nannte, nicht seine Zeit zu stehlen, so daß die Photos oft seine Müdigkeit verraten. Ein feinsinniges Porträt von Camus zeichnet Mme Saint-Clair in ihrem Buch «Galerie Privée»: «Dunkles Haar mit schönem Ansatz, wenig hervorstehende Nase ... hohe, volle Wangen ... ein leicht grauer Teint, in dem die Augen mit ihrem wachsamen, direkten Blick gut zur Geltung kommen, jene Pupillen, in denen Gelb und Grün mit Grau kämpfen ... Seine wohlgeformten Hände unterstreichen mit ausdrucksvollen, erstaunlich genauen Gebärden die Worte, die er mit gedämpfter Stimme spricht ...»

Aber das ist nur ein sprachliches Porträt. Keiner der Menschen, die im tagtäglichen Leben mit ihm verkehrt haben, wird mehr zu sagen wissen als Roger Grenier, sein Mitarbeiter bei «Combat» ... «Wenn man mich auffordert, von ihm zu erzählen, kommen mir lauter Dinge in den Sinn wie ‹er trug stets einen Regenmantel›. Und wenn ich seine Worte wiederholen soll, fallen mir nur faule Sprüche aus der Redaktionsstube ein.»

Es ist wahr: Camus — der es bedauerte, daß die Kritiker dem Humor in seinem Werk nicht genügend Beachtung schenkten — war keineswegs der zugeknöpfte Moralprediger, der steife Meister, wie er in der Vorstellung so vieler Leute lebte. *(Was den Meister angeht, so reizt er mich wirklich zum Lachen. Um zu lehren, muß man wissen. Um zu führen, muß man die Richtung kennen,* sagt Camus zu Brisville.) Camus lachte viel und liebte es, zu scherzen, ja den Leuten Bären aufzubinden. Etiemble erzählt (34), wie er sich in Gesellschaft des Dichters René Char bei einem schreckensbleichen Hotelbesitzer als den Gangster Pierrot le Fou ausgab. Emmanuel Roblès berichtet von den drolligen Auseinandersetzungen zwischen Camus und den beiden Kavallerieoffizieren, die 1939 in der Redaktion des «Alger Républicain» der Zensur oblagen. Diese Offiziere «zeigten sich überaus streng, kleinlich, mißtrauisch, verächtlich. Zuerst gab Camus ‹Aphorismen› durch wie etwa ‹Wenn ein Mann zu Pferd sitzt, ist das Pferd immer das intelligentere Geschöpf von beiden. André Maurois.›

Oder: ‹Die Menschen lassen sich nach der Art beurteilen, wie sie ihre Macht gebrauchen. Es ist bemerkenswert, daß niedrige Seelen immer dazu neigen, Mißbrauch zu treiben mit den Bruchstücken der Macht, die der Zufall oder die Dummheit ihnen in die Hände gespielt hat. Caligula.› Ein anderes Mal beendete Camus seinen Artikel mit folgendem Satz: ‹Er muß aufgespürt und niedergemacht werden, dieser Scomberoid!›» Der Gesichtsausdruck der beiden Zensoren war Gold wert. «Lange Zeit verhandelten die Offiziere leise untereinander. ‹Kann ich Ihnen behilflich sein?› fragte Camus mit der ihm geläufigen Miene eines versöhnlichen Erzbischofs. Wortlos entschwanden unsere Zensoren in Richtung Generalgouvernement. Die Zeit verging. Später erfuhren wir, daß man dort fieberhaft Wörterbücher gewälzt, ja einen gelehrten Professor zu Rate gezogen hatte... schließlich wurde der ganze Artikel ohne Erklärung gestrichen.»

Über seine Arbeitsweise gibt Camus selber Auskunft. Er arbeitete stehend, *weil ich es nötig habe, meine Kräfte auszugeben.* Seine Methode: *Notizen, Papierfetzen, unbestimmtes Träumen, jahrelang. Eines Tages kommt der Einfall, das Konzept, das diese einzelnen Teilchen zusammenschweißt. Dann beginnt die lange mühsame Arbeit des Ordnens.* Erzählt er von dem Werk, das er gerade in Arbeit hat? *Nein.* Arbeitet er regelmäßig? *Wenn alles gut geht, vier oder fünf Stunden zu Beginn jedes Tages.* Fühlt er sich schuldig, wenn er die Arbeit auf den nächsten Tag verschiebt? *Ja ... Ich bin unzufrieden mit mir. — ... Die Schöpfung ist eine geistige und körperliche Zucht, eine Schule der Tatkraft. In der Anarchie oder der physischen Schlaffheit habe ich nie etwas Gültiges geschaffen.* (35) Der «Stundenplan» war seine ständige Sorge. Eine unglaublich straffe Organisation erlaubte ihm, seine Tage genau einzuteilen und ohne Schwachwerden noch Zeitverlust die Arbeit zweier Menschen zu leisten.

Wer immer Camus kennenlernte, entdeckte bewundernd, daß er völlig mit seinem Werk übereinstimmte. Neunmal auf zehn ist die Begegnung mit einem «großen Mann» eine Enttäuschung. Seien wir gerecht: es ist nicht immer die Schuld des großen Mannes, denn wir erwarten zu viel von ihm und tragen den Umständen, den Notwendigkeiten, seiner Müdigkeit, seinen Sorgen keine Rechnung. Mit Camus war nichts dergleichen zu befürchten: er war immer aufmerksam, immer für einen da; er beantwortete jeden Brief, war jederzeit dienstbereit, las die Manuskripte Unbekannter, empfahl sie weiter, ließ alle Schauspieler und Schauspielerinnen vorsprechen, die ihn um Rat angingen, gab nie das geringste Zeichen von Ungeduld und sagte nie ein verletzendes oder gleichgültiges Wort. Seine Zuvorkommenheit, seine Freundlichkeit war sprichwörtlich, genau wie seine Redlichkeit. Drei Monate vor seinem Tod weigerte er sich, die Leitung eines Theaterfestspiels zu übernehmen, weil er den bisherigen Direktor nicht verdrängen wollte, obwohl dieser seiner Aufgabe nicht gewachsen war. Nie gab er ein Versprechen ab, ohne es zu halten, und es kam vor, daß ein Schauspieler zum Beispiel, dem er gesagt hatte «Sobald sich die Gelegenheit bietet, werde ich an Sie denken», drei oder vier Jahre später einen Telephonanruf erhielt: «So, jetzt kann ich Sie brauchen.» Seine Konzentrationsfähigkeit war so erstaunlich wie die Sartres. Wenn man Camus etwas auseinandersetzte, existierte nichts mehr auf der Welt außer dem Besucher.

Das alles mag den Schmerz erklären, den seine Freunde und seine Leser bei der Nachricht seines Todes empfanden, nicht aber jenes seltsame Gefühl, das ein jeder zuerst für persönlich hielt, das aber allen gemeinsam war. Ich suche ein Wort, um es zu definieren, und kann nur sagen: es war das Gefühl, um etwas betrogen zu sein. Es ist nicht verwunderlich, daß ein so jäher Tod zuerst unglaubhaft erscheint. Aber es ist weniger selbstverständlich, daß noch drei Wochen später Freunde oder auch bloße Leser sich gegenseitig gestehen, daß sie jeden Morgen beim Erwachen eine Minute lang glauben, Camus sei noch am Leben. Der Eindruck, daß einem plötzlich jemand fehlt, der nicht das Recht hatte, einem zu fehlen. Der Eindruck, einen Führer, einen älteren Bruder verloren zu haben. Der Eindruck einer unermeßlichen Leere, eines unwiederbringlichen Verlusts, einer unheilbaren Verstümmelung. Sein Werk, seine Gegenwart als Mensch, war offenbar in einem ungeahnten Maße notwendig.

Es ist gesagt worden, Camus habe nichts erfunden, und das trifft teilweise durchaus zu. Er stammt in gerade Linie von Nietzsche, Dostojewski, Unamuno ab (und von Pascal und von Molière, pflegte er hinzuzufügen); unter den Zeitgenossen sind Gide, Malraux und Montherlant zu nennen, doch war ihr Einfluß unendlich geringer. Denn Camus' hervorstechendste Eigenart besteht darin, kein «zeitgebundener» Schriftsteller zu sein, obwohl gerade er das Drama seiner Zeit zutiefst miterlebte.

R. M. Albérès hat Camus' Stellung in der Literatur ausgezeichnet umschrieben (36): «Camus ist ein selektiver Schriftsteller. Seinem Temperament nach fügt er sich viel eher in eine Geistesfamilie ein als in eine Epoche. Er gehört nicht zu den Schriftstellern, die sich dem literarischen Ton ihrer Zeit anpassen ... Man könnte sich vorstellen, daß die Jahre 1896 bis 1933 nicht gewesen sind, und trotzdem Camus' ganzes Werk erklären. Es geht auf die gleichen Quellen zurück wie die Gewissenskrise, die Europa am Ende des 19. Jahrhunderts durchmachte ... Alle Verbindungsglieder zwischen der Revolution Nietzsches und den schwarzen Mündern der Läufe, vor die die Intellektuellen des Jahres 1942 gestellt wurden, sind ausgelöscht: Barrès' Verankerung im Felsen der Tradition, Péguys unaufhörliche Wiederholungen, Huxleys und Pirandellos Klügeleien, Thomas Manns beharrliches, machtvolles und widersprüchliches Goethetum, die Rückkehr zum Glauben, der Surrealismus, die Bekehrungen zur Revolution ...» Camus selber behauptete launig, daß er in der Dichtung bei Lamartine stehengeblieben sei (Vorwort zu den Gedichten von Blanche Balain). Das stimmt natürlich nicht: in *L'Homme Révolté* behandelt er mit großartiger Einfühlung Rimbaud, Lautréamont und Breton. Aber es ist eine Tatsache, daß Camus selbst in der Darstellung des Absurden einen neuen Ton anschlägt, und zwar in dem Maße, in dem er sich zwei Strömungen im zeitgenössischen französischen Literaturschaffen widersetzt: dem sprachlichen Technizismus und dem Systemgeist, mit anderen Worten, in dem Maß, in dem er klassisch ist.

Hier drängt sich eine erste Bemerkung auf: Camus hat sich kein einziges Mal zu einer reinen Unterhaltungsliteratur verführen lassen (erzählen einzig um des Vergnügens willen). In seinem ganzen Werk findet sich — übrigens so wenig wie in dem Sartres — kein einziges Büchlein, das er am Rande zu seiner persönlichen Befriedigung geschrieben hätte, wie etwa Roger Martin du Gard seine «Confidence Africaine».

Das zweite Kennzeichen ist von überragender Bedeutung: seine Ablehnung des zeitgenössischen Wortschatzes. Im Gegensatz zu ei-

ner immer stärker von Fachausdrücken und Unverständlichkeit beherrschten Prosa kehrt Camus zur traditionellen Sprache zurück, ohne Furcht vor Worten, die endgültig abgebraucht schienen und unter seiner Feder ihr ewiges Wesen zurückgewinnen. Als Antwort auf die Frage: «Welches sind Ihre zehn Lieblingswörter?» zählt Camus auf: *Die Welt, der Schmerz, die Erde, das Lachen, die Menschen, die Wüste, die Ehre, das Elend, der Sommer, das Meer.* Es gibt keine Seite von Camus, die nicht jedem des Lesens Kundigen und einigermaßen aufmerksamen Menschen verständlich wäre. Jean Grenier, sein Lehrer, sagt zu Recht, daß Camus' großes Verdienst in dieser Rückkehr zur Einfachheit bestand, und wir möchten geradezu behaupten, in dieser Betonung der Einfachheit, des Alltäglichen. Camus wehrte sich energisch gegen die Bezeichnung Philosoph. Er ist in der Tat vor allem Moralist in der großen Tradition der französischen Moralisten. Er schreibt nicht für Eingeweihte, in einer sibyllinischen Sprache, die nur von Leuten «vom Bau» entziffert werden kann und die höchst drolligerweise in manchen modernen französischen Werken auffällig an die Sprache der Précieuses erinnert. Er setzt den Grundsatz in die Tat um, wonach die großen Probleme des Menschen dem Menschen auch verständlich sein sollen, und zwar dank «den Gliedern eines edlen Stils», wie Proust sagte. Er richtet sich an den Geist

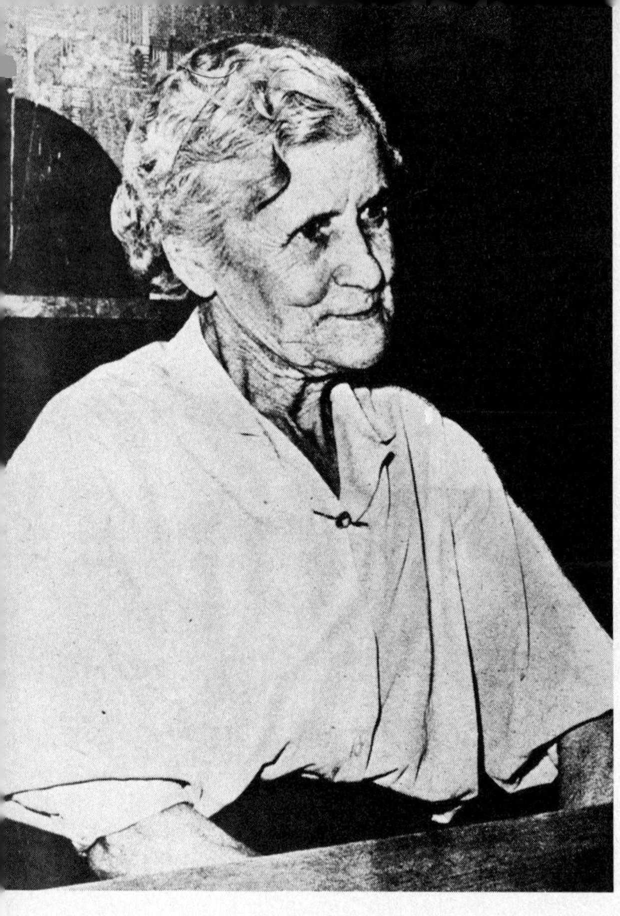

Die Mutter des Dichters

und das Empfinden, nicht an das Wissen. Am wichtigsten ist die Klarheit. *Eine schöpferische Epoche läßt sich in der Kunst durch die Ordnung eines Stils definieren, mit dem die Unordnung der Zeit angegangen wird.* (37) In diesem klassischen Licht können bei Camus zwei Schreibarten unterschieden werden: die knappen, schnellen Sätze drücken den Egoismus aus, die Gleichgültigkeit der Welt, das mechanische Walten der Geschichte; die breiten, wie die schweren Wogen des Meeres heranrollenden Perioden verdeutlichen die menschliche Gemeinschaft, den Schmelzofen der Zeiten und der Welten, die Ewigkeit.

Es braucht nicht nochmals betont zu werden, wie sehr Camus' Werk im Konkreten gründet und wie gut ihm dabei die Erfahrung des Journalismus zustatten gekommen ist, die Notwendigkeit, kurz und bündig zu informieren, in ein paar Zeilen ein Milieu zu schildern. Die großen Autoren gehen von einfachen Betrachtungen aus, die dem ersten besten verständlich sind. Camus' Werk, könnte man sagen, ist aus der Betrachtung des Gesichts seiner Mutter entstanden und aus der Betrachtung des Meeres. Auf dem schweigenden, resignierten, undurchschaubaren Gesicht seiner Mutter liest er einerseits die große Reglosigkeit, die große Geduld der Natur, und andererseits das Elend und die Frage, die es den Menschen stellt. Das Meer spricht ihm von Freude, Freiheit, von der Hingabe des Leibes an die kosmische Strömung, von Schönheit und ewigen Kräften. Die Verbindung zwischen diesen beiden Elementen bildet das Schwert der Gerechtigkeit. Es blitzt über dem Meer: wer nicht gerecht ist, versteht weder das Meer noch die Mutter zu schauen und wird verstoßen. Die Gerechtigkeit ist die zwischen dem Menschen und der Natur geschlagene Brücke. Sie ist die Angel zwischen den beiden großen Wahrheiten, der Sonne und der Geschichte. Sie ist Tat und Sinn des Lebens.

«Welchen Wert stellen Sie im Kunstwerk und insbesondere im literarischen Werk am höchsten?» fragt Jean-Claude Brisville. Und Camus antwortet: *Die Wahrheit. Und die künstlerischen Werte, die sie widerspiegeln.* Darum liebten wir ihn – er bewahrte die Substanz eines Wortes, das die Systeme entwertet hatten. Das gilt ganz besonders für die Worte Gerechtigkeit und Ehre, vor allem dieses für letztere, das man nicht mehr zu verwenden wagt. Er war der getreue Wächter, der diese Schlüsselworte des Menschen in Erwartung des Tages der Gerechtigkeit bewahrte, da sie ihm zurückgegeben werden. Und wir empfanden Dankbarkeit nicht nur, weil er den Wert seines Schatzes kannte, sondern auch, weil sein Handeln in Einklang stand mit seinen Schriften. In *Retour à Tipasa (Heimkehr nach Tipasa)* zählt Camus die Eigenschaften auf, deren der zeitgenössische Mensch bedarf, wenn er die Werte der Kultur retten will. An erster Stelle nennt er die Charakterstärke.

Davon legte sein ganzes Leben Zeugnis ab. Geholfen dabei hat ihm sein «Spaniertum», seine kastilianische Weigerung, Kompromisse zu schließen, sobald sein Instinkt und seine Intelligenz ihn blitzartig ein Verbrechen erkennen ließen. Auf die Ehre gestützt, bekämpfte Camus unsere mörderische Zerstreuung, jene vielgestaltige Zerstreuung des Jahrhunderts, die den Kontakt des Geistes mit der Wirklichkeit der Natur zerstört, das Leben der Doktrin unterordnet, die Wahrheit dem System, das öffentliche Wohl der Partei, die Gerechtigkeit dem Gericht, die Dichtung der Empfindelei, den Glauben dem Ritus, Gott der Kirche und die Dinge den Worten. Nicht daß Camus sich für unfehlbar gehalten hätte! Immer und immer wieder hat er es betont. *Gibt es eine Partei der Leute, die nicht sicher sind, recht zu haben? Dort bin ich Mitglied.* Einmal gab er sogar öffentlich François Mauriac gegenüber zu, in einem Streit, den sie ein paar Jahre zuvor miteinander geführt hatten, Unrecht gehabt zu haben. Sein Sinn für Gerechtigkeit war so tief, daß er keine Ruhe hatte, bis er sein Unrecht zugegeben hatte, wer immer sein Gegner war. Als er 1948 von den Dominikanern der Rue de La Tour Maubourg in Paris eingeladen wurde, in ihrem Kloster das Wort zu ergreifen, sagte er gleich zu Beginn seiner Ansprache: *... möchte ich auch festhalten, daß ich mich nicht im Besitz irgendeiner absoluten Wahrheit oder einer Botschaft fühle und deshalb niemals vom Grundsatz ausgehen werde, die christliche Wahrheit sei eine Illusion, sondern nur von der Tatsache, daß ich ihrer nicht teilhaftig zu werden vermochte.*

Damit ist die Frage nach Gott in Camus' Werk gestellt, das heißt in einem zutiefst religiösen Werk.

Die Wochenschau zeigte als letztes Bild von Camus' Begräbnis in Lourmarin ein Kreuz. Viele Leute empörten sich darüber, weil sie dieses letzte Bild tendenziös fanden, und sie hatten nicht unrecht; doch steckte gewiß nicht die Absicht eines frommen Kameramannes dahinter, der Camus um jeden Preis dem Christentum hätte einverleiben wollen, sondern viel eher die Zerstreutheit dieses Photographen, der Camus wahrscheinlich nicht kannte und ein schönes Grabkreuz im Gegenlicht aufnahm, weil «es sich gut macht, wenn's doch ein Begräbnis ist». Dieser Gedankenlosigkeit steht die würdige Haltung eines jungen Priesters gegenüber, der außerhalb des Friedhofs niederkniete und für Camus betete, wie ein anderer Priester sechs Wochen zuvor in Ramatuelle für Gérard Philipe gebetet hatte. (Als übrigens Camus erfuhr, daß Gérard Philipe gewünscht hatte, in einem einfachen Holzsarg in die Erde gebettet zu werden, sagte er in Gegenwart seiner Frau: «So möchte ich auch begraben werden.»)

Das Problem dieser äußeren Kundgebungen stellt sich jedenfalls nicht in Camus' Werk. «Wenn wirklich das Nichts unser wartet, wollen wir das Unsere tun, damit es als Ungerechtigkeit erscheint», sagte Senancour. Camus' ganzes Leben könnte antworten: «Wenn Gott nicht existiert, wollen wir das Unsere tun, damit es als Ungerechtigkeit erscheint.»

Indessen hat man Camus auch in dieser Beziehung viel angegriffen. Weil er nicht an die Mythologie von Jerusalem glaubte *(mein ganzes Reich ist von dieser Welt)*, haben gewisse Leute behauptet, sein Werk beruhe auf einem Widersinn: «Er denkt pessimistisch von der Natur und optimistisch vom Menschen, während doch der Mensch schlecht ist und die Natur gut.» So sprechen die Gläubigen. Ernster zu nehmen sind die Bemerkungen von Marc Bernard (38), der Camus' «Widerspruch» behandelt, indem er sich auf das Thema des Absurden stützt. Zu sagen, das Leben sei absurd, scheint ihm eine Absurdität... Er schreibt: «Nachdem Camus das Leben endgültig verurteilt hat – wenn es seinem Wesen nach absurd ist, was kann uns dann daran empören? –, verschanzt er sich sogleich in einem rein menschlichen Universum und fordert unbedingte Logik von ihm ... Wie kann man wie immer und wo immer eine Ordnung einrichten, wenn die Unordnung immanent und unheilbar ist, wenn sie zu unserer Seinsverfassung gehört, ein Verhängnis ist? Und was ist das für ein Mensch, der von allem, was ihn umgibt, abgeschnitten ist, als wäre sein eigenes Abenteuer nicht ein Teil des Abenteuers des Universums?»

William Faulkner seinerseits ist noch kategorischer: «Camus pflegte zu sagen: ‹Ich mag nicht glauben, daß der Tod die Pforte zu einem anderen Leben darstellt. Für mich ist er eine verschlossene Tür.› Das versuchte er zu glauben. Aber es gelang ihm nicht. Gegen seinen Willen hat er wie alle Künstler sein Leben damit verbracht, die Antworten, die Gott allein kennt, zu suchen und von sich selbst zu fordern. Als er den Nobelpreis erhielt, schickte ich ihm ein Telegramm nach Stockholm mit den Worten: ‹Man ehrt die Seele, die sich ständig sucht und befragt.› Warum hat er damals nicht verzichtet, wenn er nicht an Gott glauben wollte?» (39)

Es ist in der Tat eine entscheidende Frage. Ist alles von Anbeginn an gegeben, so daß das, was wir Gut und Böse nennen, die Logik und das Absurde sich nebeneinanderfügen, sich gegenseitig durchdringen, sich zu einer Einheit verschmelzen, die uns entgeht, oder können wir mit unseren schwachen Kräften und unseren absurden Bausteinen etwas schaffen, das im Leben nicht existierte, ehe wir es schufen? Wir können natürlich diese Frage hier nicht entscheiden. Indessen müssen wir doch darauf hinweisen, daß Camus einmal geschrieben hat: *Wie konnte ich mit so viel Sonne im Gedächtnis auf die Sinnlosigkeit setzen?*, daß er Simone Weil, seine Schwester im Elend, die Christus nachfolgte, tief bewunderte, daß er «vom Heiligen besessen» war; und wir glauben es ohne weiteres, wenn Pater Bruckberger erzählt, daß Camus nach seinen Begegnungen mit Priestern immer niedergeschlagen und auf unerklärliche Weise enttäuscht war. «Ich sage es voll Traurigkeit: was er erwartete, hat er vielleicht nie erhalten . . . Sein ganzes Leben hat Camus einen Ersatz für das Christentum gesucht; sein Bemühen war also antichristlich, auch wenn seine persönlichen Gefühle es gewiß nicht waren.» (40)

Erinnern wir zum Schluß noch an die erstaunlich «christlichen» Titel seiner Bücher: *L'Homme Révolté, Les Justes, La Chute, L'Exil et le Royaume* und an seine Bearbeitungen «christlicher» Stücke (Calderon, Faulkner). Lassen wir es dabei bewenden. Und schließen wir nicht gedankenlos mit einem Kreuz wie der Kameramann.

Welches das Urteil auch sein mag, das Werk bleibt. Wir wollen hier nicht versuchen, das Urteil der Nachwelt vorwegzunehmen. Es ist möglich, daß ein Teil seines Schaffens die Prüfung der Zeit nicht unbeschadet bestehen wird (zum Beispiel die Theaterstücke *Le Malentendu* und *L'Etat de Siège*), während die Hauptwerke (*L'Étranger, L'Été, Noces, L'Homme Révolté, La Peste* und, vielleicht das schönste von allen, *La Chute*), stets noch größer werden. Das hängt wie bei jedem Werk vom Wandel der Sitten ab, von der zukünftigen Welt. Sollte der Totalitarismus siegen, wird Camus' Werk untergehen. «Muß Camus verbrannt werden?» — «Ja!» werden die «optimistischen Schuldigen» der Herde brüllen. Aber vielleicht gibt es noch etwas Schlimmeres, nämlich den Nihilismus der Auflösung, der in unserer Zeit den Menschen aus dem Geschriebenen vertreibt, wie zum Beispiel die Romane der jungen französischen Schule bezeugen. Eine

Welt von Objekten, ein Museum des Unbelebten, eine schöne Wüste stehen in Aussicht ...

Eines indessen ist gewiß: in welcher Religion, welchem Dogma, welchem Regime es immer sei — es wird genügen, daß ein Mensch da ist, der dieses Namens würdig ist, der noch ein Gedächtnis, Liebe und das Gefühl für Widersprüche und Unterschiede besitzt, damit Camus' Werk seinen Sinn und seine Notwendigkeit bewahrt. Schließen wir mit seinen eigenen Worten: *Man kann sich auch eine andere Art von Schöpfern vorstellen, die mit einem Nebeneinanderstellen zu Werke gehen. Ihre Werke können untereinander beziehungslos erscheinen. In gewissem Sinn widersprechen sie sich auch. Werden sie aber in ihren Zusammenhang gestellt, so finden sie ihre Ordnung wieder. Vom Tode her empfangen sie so ihren endgültigen Sinn. Ihr hellstes Licht erhalten sie unmittelbar vom Leben ihres Autors. In dieser Hinsicht ist die Folge seiner Werke nur eine Sammlung von Niederlagen. Aber wenn diese Niederlagen alle denselben Unterton behalten, hat der Schöpfer das Bild seiner eigenen Lage zu wiederholen gewußt, hat er das sterile Geheimnis, das er besitzt, zum Klingen gebracht.* (41)

Wenn der Tod die einzige Lösung ist, befinden wir uns nicht auf dem richtigen Weg. Der richtige Weg führt zum Leben, an die Sonne ...

Weint nicht. Nein, nein, ihr sollt nicht weinen! ... Ein schreckliches Geräusch! Ein schreckliches Geräusch hat genügt, um ihn der Freude der Kindheit zurückzugeben. Erinnert ihr euch an sein Lachen? Zuweilen lachte er ohne Grund. Wie jung er war! Jetzt lacht er gewiß. Bestimmt lacht er, das Gesicht an die Erde geschmiegt!

REGISTER DER ZITATE

1 *Zwischen Ja und Nein* in *Literarische Essays: Licht und Schatten*
2 *Sommer in Algier* in *Literarische Essays: Hochzeit des Lichts*
3 *Zwischen Ja und Nein* in *Literarische Essays: Licht und Schatten*
4 *Zwischen Ja und Nein* in *Literarische Essays: Licht und Schatten*
5 *Heimkehr nach Tipasa* in: *Literarische Essays*
6 *Hochzeit in Tipasa* in *Literarische Essays: Hochzeit des Lichts*
7 *Sommer in Algier* in *Literarische Essays: Hochzeit des Lichts*
8 *Hochzeit in Tipasa* in *Literarische Essays: Hochzeit des Lichts*
9 *Hochzeit in Tipasa* in *Literarische Essays: Hochzeit des Lichts*
10 *Die Wüste* in *Literarische Essays: Hochzeit des Lichts*
11 *Actuelles I*
12 Vorwort zu *Licht und Schatten* in: *Literarische Essays*
13 Vorwort zu «La Maison du Peuple» von Louis Guilloux
14 Vorwort zu *Licht und Schatten* in: *Literarische Essays*
15 *Heimkehr nach Tipasa* in: *Literarische Essays*
16 *Actuelles I*
17 Nobelpreisrede in: *Fragen der Zeit*
18 Interview mit Albert Camus in «Le Figaro», zitiert von Henri Gouhier in «Albert Camus et le Théâtre», «La Table Ronde», Sondernummer über Camus, Februar 1960
19 Henri Amer «Le Mythe de Sisyphe», «La Nouvelle Revue Francaise», Sondernummer über Camus, März 1960
20 Dieses und die folgenden Zitate stammen aus 1944 in «Combat» erschienenen Artikeln, die in *Fragen der Zeit* aufgenommen wurden.
21 Roger Grenier «A Combat», «La Nouvelle Revue Francaise», Sondernummer
22 Vorwort zu *Briefe an einen deutschen Freund* in: *Fragen der Zeit*
23 *Actuelles I*
24 Jean-Claude Brisville «Camus», Gallimard 1959
25 Vorwort zu *Der Belagerungszustand*
26 *Der Mensch in der Revolte*
27 *Der Mensch in der Revolte*
28 Alle folgenden Zitate stammen aus den beiden in Schweden gehaltenen Reden, die in *Fragen der Zeit* aufgenommen wurden.
29 Diese und die folgenden Stellen stammen aus den in *Actuelles III* gesammelten *Chroniques Algériennes*, die in *Fragen der Zeit* aufgenommen wurden.
30 Jean-Claude Brisville «Camus», Gallimard 1959
31 *Der Künstler und seine Zeit* in: *Fragen der Zeit*
32 Jean Vilar «Camus Régisseur», «La Nouvelle Revue Française», Sondernummer
33 Vorwort zu *Licht und Schatten* in: *Literarische Essays*
34 Etiemble «D'une amitié», «La Nouvelle Revue Française», Sondernummer
35 Antwort auf eine Umfrage von Jean-Claude Brisville
36 R. M. Albérès «Albert Camus dans son siècle», «La Table Ronde», Sondernummer

37 *Der Mensch in der Revolte*
38 Marc Bernard «La contradiction d'Albert Camus», «La Nouvelle Revue Française», Sondernummer
39 William Faulkner «L'âme qui s'interroge», «La Nouvelle Revue Française», Sondernummer
40 R. P. Bruckberger «Une image radieuse», «La Nouvelle Revue Francaise», Sondernummer
41 *Der Mythos von Sisyphos*

Von links nach rechts: Morvan Lebesque, ein Schauspieler, Albert Camus

ZEITTAFEL

1913 7. November: Albert Camus kommt in Mondovi, Departement Constantine (Algerien) zur Welt.

1914 Weltkrieg. Alberts Vater, Lucien Camus, fällt in der ersten Marneschlacht. Camus' Mutter zieht mit ihren beiden Kindern nach Algier.

1918 Albert Camus besucht die Grundschule in Belcourt.

1923 Mai: Camus' Lehrer Louis Germain schlägt ihn für ein Stipendium vor. Oktober: Eintritt in das Gymnasium von Algier.

1930 Abitur.

Camus ist eifriges Mitglied der Fußballelf des Racing Universitaire. Erster Anfall von Tuberkulose.

1931 Camus bereitet sich für die Hochschule vor und lernt Jean Grenier kennen.

1933 Hitlers Machtübernahme.

Camus heiratet und arbeitet als kleiner Angestellter, um seinen Lebensunterhalt zu verdienen.

1934 Scheidung. Beitritt zur Kommunistischen Partei. Propagandaaktion bei den Arabern.

1935 Austritt aus der Kommunistischen Partei.

Theatertournee mit der Truppe von Radio-Alger. Abfassung der ersten Seiten von *L'Envers et l'Endroit.* Camus gründet das Théâtre du Travail und beteiligt sich an der Kollektivschöpfung des Stücks *Révolte dans les Asturies.* Abfassung von meteorologischen Statistiken.

1936 Volksfront in Frankreich unter Léon Blum.

Spanischer Bürgerkrieg.

Camus legt seine Diplomarbeit über «Die Beziehungen zwischen Hellenismus und Christentum in den Werken von Plotin und Augustin» vor. Der Verleger Charlot veröffentlicht in Algier *Révolte dans les Asturies.* Theatertournee durch Algerien mit der Truppe von Radio-Alger. Camus spielt Liebhaberrollen in klassischen Stükken. Er plant einen Essay über Malraux.

1937 Camus wird aus Gesundheitsgründen vom Staatsexamen in Philosophie ausgeschlossen.

L'Envers et l'Endroit erscheint bei Charlot. Gründung des Théâtre de l'Equipe.

1938 Aufenthalt in Savoyen und Reise nach Florenz.

Gründung des «Alger Républicain», an den Pascal Pia ihn beruft.

Noces erscheint bei Charlot. Camus schreibt *Caligula* und inszeniert «Die Brüder Karamasow» im Théâtre de l'Equipe.

1939 Camus beginnt *L'Étranger* und verfaßt *Le Minotaure ou la Halte d'Oran.* Reportage in Kabylien. «Alger-Républicain» wird «Soir-Républicain».

Ende des Spanischen Bürgerkriegs.

Ausbruch des Zweiten Weltkriegs.

Camus meldet sich als Freiwilliger, wird aber aus Gesundheitsgründen nicht angenommen.

1940 Camus verheiratet sich mit Francine Faure. Er wird aus Algerien ausgewiesen und kommt als Reporter von «Paris-Soir» nach Paris. Er vollendet *L'Étranger.*

Die deutschen Truppen besetzen Paris.

Camus verläßt «Paris-Soir» und verbringt ein paar Monate in Lyon.

September: Camus beginnt die Niederschrift von *Le Mythe de Sisyphe.* Rückkehr nach Algerien, Aufenthalt in Oran.

1941 Februar: Camus vollendet *Le Mythe de Sisyphe.*

1942 Rückkehr nach Frankreich. Im Juli erscheint *L'Étranger* bei Gallimard. Camus tritt in die Widerstandsgruppe Combat ein.
Die Landung der Alliierten in Algerien schneidet ihn von seinen Angehörigen ab.
Le Mythe de Sisyphe erscheint.

1943 Die Krankheit zwingt Camus zu einem Aufenthalt im Massif Central. Er verbringt einige Zeit in Lyon und in St. Etienne. Die Kampfgruppe Combat schickt ihn nach Paris, wo er als Verlagslektor bei Gallimard eintritt. Die Zeitung «Combat» erscheint illegal, so wie der erste *Brief an einen deutschen Freund.*

1944 Mai: *Le Malentendu* wird im Théâtre des Mathurins uraufgeführt.
Letzter *Brief an einen deutschen Freund.*
Befreiung von Paris. Am 21. August erscheint die erste Nummer von «Combat» im freien Verkauf. Camus schreibt die Leitartikel.

1945 Kriegsende. Hiroshima.
Camus lernt Gérard Philipe kennen. *Caligula* wird im Théâtre Hébertot uraufgeführt.

1946 Reise nach Amerika. Camus spricht zu den amerikanischen Studenten in New York.

1947 Camus verläßt «Combat», da das Blatt den Besitzer und die politische Linie wechselt.
Im Juni erscheint *La Peste.* Camus erhält den Prix des Critiques.

1948 *L'État de Siège* wird im Théâtre Marigny uraufgeführt.

1949 Reise nach Südamerika.
Dezember: *Les Justes* wird im Théâtre Hébertot uraufgeführt.

1950 Camus arbeitet an *L'Homme Révolté.*

1951 *L'Homme Révolté* erscheint im Oktober. Heftige Polemik, in deren Verlauf Camus mit Sartre bricht.

1952 Camus tritt aus der UNESCO aus, weil Franco-Spanien aufgenommen worden ist. *L'Artiste en prison,* Vorwort zu «La Ballade de la Geôle de Reading» von Oscar Wilde in einer neuen Übersetzung von Jacques Bour.

1953 Aufstand in Ost-Berlin. Camus ergreift Partei für die Aufständischen.
Juli: Festspiele in Angers, wo Camus «La Dévotion à la Croix» und «Les Esprits» inszeniert.

1954 Ausbruch des Algerien-Kriegs.
Veröffentlichung von *L'Été.*

1955 Mai: Reise nach Griechenland.
Artikel zum Algerienproblem in «L'Express».
Bearbeitung von Dino Buzzatis Stück «Un Caso Clinico», das im Théâtre La Bruyère aufgeführt wird.

1956 Januar: Reise nach Algerien und Aufruf für einen Burgfrieden.
Mai: Veröffentlichung von *La Chute.*
Oktober: Uraufführung von «Requiem pour une Nonne» im Théâtre des Mathurins.
November: Erhebung in Ungarn. Camus fordert die europäischen Schriftsteller auf, an die UNO zu appellieren.
November: Suezkrise.

1957 März: Veröffentlichung von *L'Exil et le Royaume.*

Mai: *Réflexions sur la peine capitale,* in Zusammenarbeit mit Arthur Koestler und Jean Bloch-Michel.

Juli: Aufführung von *Caligula* und «Le Chevalier d'Olmédo» in Angers.

17. Oktober: die Königliche Schwedische Akademie verleiht Camus den Nobel-Preis für Literatur.

10. Dezember: Albert Camus empfängt den Nobel-Preis in Stockholm. Reden vor der Akademie und vor den Studenten von Uppsala.

1958 Veröffentlichung der *Chroniques Algériennes (Actuelles III).*

1959 Februar: *Les Possédés* wird im Théâtre Antoine uraufgeführt.

Arbeit an einem neuen Roman: *Le premier Homme.*

1960 4. Januar. Albert Camus kommt bei einem Autounfall ums Leben.

Mancher, der ein Buch liest, murrt ...

... wenn er Werbung findet, wo er Literatur suchte. Reklame in Büchern!!!? Warum nicht auch zwischen den Akten in Bayreuth oder neben den Gemälden in der Pinakothek?

«Rowohlts Idee mit der Zigarettenreklame im Buch (finde ich) gar nicht anfechtbar, vielmehr sehr modern. Hauptsache, es hat Erfolg und nützt dem Buch, was die deutsche Innerlichkeit dazu sagt, ist allmählich völlig gleichgültig, die will ihren Schlafrock und ihre Ruh und will ihre Kinder dußlig halten und verkriecht sich hinter Salbadern und Gepflegtheit und möchte das Geistige in den Formen eines Bridgeclubs halten – dagegen muß man angehen ...»

Das schrieb Ende 1950 – Gottfried Benn.

An Stelle der «Zigarettenreklame» findet man nun in diesen Taschenbüchern Werbung für Pfandbriefe und Kommunalobligationen. «Hauptsache, es hat Erfolg und nützt dem Buch.» Und es nützt auch dem Leser. (Für die Jahreszinsen eines einzigen 100-Mark-Pfandbriefs kann man sich beispielsweise ein Taschenbuch kaufen.)

ZEUGNISSE

Ernst Glaeser

Die «Chance des Menschen» wird bei Sartre kategorisch verneint. Bei Camus, dem dichterisch Subtileren, wird sie als unendlich gering erachtet, nur manchmal von der kühnen, absurden Behauptung jenes geometrischen Lehrsatzes begleitet, nach dem zwei Parallelen zwei Geraden sind, die sich in der Unendlichkeit schneiden.

Es wäre falsch, zu glauben, daß sich bei Sartre und besonders bei Camus die Weltverlorenheit der menschlichen Existenz, die sie zwischen dem Vernichtungswahn zweier Weltkriege erlebten, daß die kalte Stummheit des Himmels, mit der die menschlichen Leiden «beantwortet» werden, daß die Gott-Ferne, wie sie Karl Barth autoritär vertritt, daß das Gott-Nichts, welches diesen Dichtern als bestürzendes Grunderlebnis widerfuhr – daß sich dies alles bei ihnen zu einer Aggressivität gegen die christliche Religion steigere oder verflache. Kaum eines ihrer Worte, bestimmt aber kein Grundriß und kein Bau ihrer Szenen läßt auch nur im entferntesten bei alter Schärfe und Radikalität der Diktion einen Vergleich mit den antireligiösen und antichristlichen Eiferern des achtzehnten oder gar des neunzehnten Jahrhunderts zu. Camus auf jeden Fall umgibt den Sturz seines Glaubens aus der Gnadenwelt der christlichen Lehre mit jenem Schmelz, wenn nicht zu sagen mit jenem Charme von Melancholie, die von jeher das im tiefsten Sinne menschlich-höfliche Vorrecht seines Landes und seiner Sprache war.

Albert Camus. In: Der Bogen 2 (1947)

Roger Martin du Gard

Wir kennen sein Gesicht. Die belustigte Ironie der Augen und des Lächelns kann einen Augenblick täuschen. Wenn aber das Gespräch im Gange ist, tritt die geheime Tiefe sehr bald in Erscheinung: eine verhaltene, doch stets wache Empfindsamkeit; ein Seelenleben von ausgesuchtem Zartsinn, von vorbildlicher Kraft und Ernsthaftigkeit; ein Unterton von Schwermut, die unheilbar scheint; und in der Berührung mit der Wirklichkeit (von der ihm nichts entgeht) ein Zustand unablässiger empörter Bitterkeit, gegen die zu kämpfen er sich aus moralischer Hygiene unaufhörlich bemüht.

Karl Korn

Camus war ein Literat im guten Sinne und ist doch immer politisch verstrickt und engagiert gewesen. Er war ein Dramatiker, Romancier und Essayist von jener mittelmeerischen Klarheit der Gedanken und kristallinischen Härte des Stils, die ihm sehr früh in dem Lande, wo der literarische Stil nicht nur Rang, sondern auch öffentliches Ansehen und Einfluß verleiht, in die vorderste Linie brachte.

Der Dichter der Revolte. In: FAZ. 16. 1. 1960

André Blanchet

Albert Camus ist tot, meldet der Rundfunk. Das Herz krampft sich zusammen. Eine ganze Generation, die mit dem letzten Krieg ins Leben trat und ihr Vertrauen in diesen älteren Gefährten gesetzt hat, denkt nur mehr an den Körper, der zerschmettert auf der Landstraße liegt, an den Geist und das Herz, die so plötzlich verlöschten. Das Aufbegehren gegen den Tod – Camus hat es gekannt. Er lebte in der Faszination des Todes, den er mit höchster Geschwindigkeit auf sich zurasen sah . . .

Als Schriftsteller Barrès und Gide unterlegen, überragt Camus sie jedoch durch die unerträgliche Spannung seines metaphysischen Suchens und seine Aufrichtigkeit. Barrès überwand nie seinen Dilettantismus und Gide nicht sein Literatentum. Camus hat mit Leib und Geist darunter gelitten, daß er keinen Sinn im Leben fand. Wegen dieses Leidens darf er, trotz seinen unendlich bescheideneren Mitteln, mit Dostojewski verglichen werden, dessen Faszination er unterlag. Camus hat sich gleich Dostojewski an seine Sucheraufgabe wie an ein Kreuz geheftet. Wegen dieser «Passion», nicht wegen der Originalität seines Denkens, erhob ihn eine ganze Jugend, die wenig mit Helden verwöhnt war, zu ihrem Vorbild und begleitete seine Anstrengungen mit einer Art Verehrung.

Albert Camus. In: Etudes 1960

Jean-Paul Sartre

Er stellt in unserem Jahrhundert, und zwar gegen die Geschichte, den wahren Erben jener langen Ahnenreihe von Moralisten dar, deren Werke vielleicht das Echteste und Ursprünglichste an der ganzen französischen Literatur sind. Sein eigensinniger Humanismus, in seiner Enge und Reinheit ebenso nüchtern wie sinnlich, stand in einem schmerzlichen Kampf gegen die wuchtigen und gestaltlosen Ereignisse der Gegenwart. Umgekehrt aber bekräftigte er durch die Hartnäckigkeit seiner Weigerung von neuem das Vorhandensein des Moralischen, mitten in unserer Epoche, entgegen allen Machiavellisten und dem goldenen Kalb des Realismus zum Trotz . . . Für alle, die ihn geliebt haben, liegt in diesem Tode eine unerträgliche Absurdität. Aber wir müssen lernen, dieses abgebrochene Werk als etwas Vollständiges zu betrachten. Im gleichen Maße, in dem Camus' Humanismus eine menschliche Haltung gegenüber dem Tod enthält, der ihn überrascht hat, im gleichen Maße, in dem seine stolze und reine Suche nach dem Glück die unmenschliche Notwendigkeit des Sterbens mit einschloß und erforderte, erkennen auch wir in seinem Werk und in seinem Leben, das davon untrennbar ist, den reinen und siegreichen Versuch eines Menschen, jeden Atemzug seiner Existenz seinem künftigen Tod abzuringen.

Albert Camus. In: Der Monat 1960

André Malraux

Seit über zwanzig Jahren sind die Werke von Albert Camus untrennbar von seiner Besessenheit für die Gerechtigkeit ... Wir grüßen einen derjenigen, durch die Frankreich im Herzen der Menschen gegenwärtig bleibt. *Nachruf. 1960*

Eugène Ionesco

Ich habe Camus kaum gekannt. Einmal oder zweimal habe ich ihn gesprochen. Trotzdem hat sein Tod eine unendliche Leere in mir gelassen. Wir hatten ihn, den Aufrechten, so nötig. Er stand, wie natürlich!, mitten in der Wahrheit. Er ließ sich nicht von der Strömung fortreißen; er war keine Wetterfahne; sein Leben war ein Zeichen für uns.

William Faulkner

Auch im Augenblick, die er an den Baum prallte, suchte und befragte er sich noch. Ich glaube nicht, daß er im Getöse jenes Augenblicks die Antwort gefunden hat. Ich glaube nicht, daß man die Antworten überhaupt finden kann, ich glaube nur, daß es ständig und ohne Unterlaß eines der menschlichen Absurdität teilhaftigen Sterblichen bedarf, um sie zu suchen. Es gibt ihrer nie viele zur gleichen Zeit. Aber zumindest einen gibt es immer irgendwo, und das genügt, um uns alle zu retten.

La Nouvelle Revue Française. Sondernummer, März 1960

BIBLIOGRAPHIE

1. *Bibliographien*

BOLLINGER, RENATE: Albert Camus. Eine Bibliographie der Literatur über ihn und sein Werk. Köln 1957 (Bibliographische Hefte. 1)

BRÉE, GERMAINE: Camus. New Brunswick 1959. S. 253–262

BENTZ, HANS W.: Albert Camus in Übersetzungen. Frankfurt a. M. 1966

2. *Werke in Originalausgaben und Übersetzungen*

a) Romane und Erzählungen

L'Étranger. Paris (Gallimard) 1942 – Dt.: Der Fremde. Erzählung. Übers. von GEORG GOYERT. Boppard (Rauch) 1948 – Neuausg.: Reinbek (Rowohlt) 1961 (rororo. 432) – Enthalten in: Das Frühwerk. Düsseldorf (Rauch) 1967

LA PESTE. Chronique. Paris (Gallimard) 1947 – Dt.: Die Pest. Roman. Übers. von GUIDO G. MEISTER. Boppard (Rauch) 1949 – Neuausg.: Düsseldorf (Rauch) 1958; Hamburg (Rowohlt) 1950 (rororo. 15) – Enthalten in: Das Frühwerk. Düsseldorf (Rauch) 1967

La Chute. Paris (Gallimard) 1956 – Dt.: Der Fall. Roman. Übers. von GUIDO G. MEISTER. Hamburg (Rowohlt) 1957 – Neuausg.: Reinbek (Rowohlt) 1961; Reinbek (Rowohlt) 1968 (rororo. 1044) – Enthalten in: Gesammelte Erzählungen. Reinbek (Rowohlt) 1966

L'Exil et le Royaume. Nouvelles. Paris (Gallimard) 1957 – Dt.: Das Exil und das Reich. Erzählungen. Übers. von GUIDO G. MEISTER. Hamburg (Rowohlt) 1958 – Enthalten in: Gesammelte Erzählungen. Reinbek (Rowohlt) 1966 – Neuausg. u. d. T.: Jonas oder Der Künstler bei der Arbeit. Gesammelte Erzählungen. Reinbek (Rowohlt) 1983 (Inhalt: Der Fall – Die Ehebrecherin – Der Abtrünnige oder Ein verwirrter Geist – Die Stummen – Der Gast – Jonas oder Der Künstler bei der Arbeit – Der treibende Stein)

La Mort heureuse. Cahiers Albert Camus I. Paris (Gallimard) 1971 – Dt.: Der glückliche Tod. Roman. Cahiers Albert Camus I. Übers. von EVA RECHEL-MERTENS. Reinbek (Rowohlt) 1972 – Neuausg.: Reinbek (Rowohlt) 1983 (rororo. 5152)

Gesammelte Erzählungen. Reinbek (Rowohlt) 1966 – Neuausg. u. d. T.: Jonas oder Der Künstler bei der Arbeit. Gesammelte Erzählungen. Reinbek (Rowohlt) 1983 (Inhalt: Der Fall – Die Ehebrecherin – Der Abtrünnige oder Ein verwirrter Geist – Die Stummen – Der Gast – Jonas oder Der Künstler bei der Arbeit – Der treibende Stein)

Das Frühwerk. Düsseldorf (Rauch) 1967 (Inhalt: Die Pest – Der Mythos von Sisyphos – Der Fremde)

b) Dramen

Révolte dans des Asturies, Essai de création collective. Algier (Charlot) 1936 Le Malentendu et Caligula. Paris (Gallimard) 1944

L'État de Siège. Paris (Gallimard) 1948 – Dt.: Der Belagerungszustand. Übers. von HANS H. HAUSSER. München (Desch) 1955

Les Justes. Paris (Gallimard) 1950

Les Possédés. Paris (Gallimard) 1959 – Dt.: Die Besessenen. Übers. von GUIDO G. MEISTER. Reinbek (Rowohlt) 1960 – Enthalten in: Dramen. Reinbek (Rowohlt) 1962

Dramen. Übers. von Guido G. Meister. Hamburg (Rowohlt) 1959 (Inhalt: Caligula – Das Mißverständnis – Der Belagerungszustand – Die Gerechten)
Dramen. Übers. von Guido G. Meister. Reinbek (Rowohlt) 1962 (Inhalt: Caligula – Das Mißverständnis – Der Belagerungszustand – Die Gerechten – Die Besessenen)

Wernicke, Horst: Unter dem Zeichen der Freiheit. Camus Lesebuch. Reinbek (Rowohlt) 1985 (Inhalt: Die Erfahrung des «Absurden» – Die «Revolte» als Erkenntnis und Tat des bewußten Menschen – Die Ethik des Maßes und der Verantwortung – Die politische Entscheidung: Der demokratische Sozialist Camus)

c) Essays und Tagebücher

L'Envers et l'Endroit. Algier (Charlot) 1937 — Neuausg.: Paris (Gallimard) 1957 — Dt.: Licht und Schatten. Übers. von Guido G. Meister. Enthalten in: Literarische Essays. Hamburg (Rowohlt) 1959; Kleine Prosa. Reinbek (Rowohlt) 1961 (rororo. 441)
Noces. Algier (Charlot) 1938 — Dt.: Hochzeit des Lichts. Impressionen am Rande der Wüste. Übers. von Peter Gan. Zürich (Die Arche) 1950 (Die kleinen Bücher der Arche. 170/171) — Enthalten in: Literarische Essays. Hamburg (Rowohlt) 1959
Le Mythe de Sisyphe. Paris (Gallimard) 1942 — Dt.: Der Mythos von Sisyphos. Ein Versuch über das Absurde. Übers von Hans Georg Brenner und Wolfdietrich Rasch. Boppard (Rauch) 1950 — Neuausg.: Düsseldorf (Rauch) 1958; Hamburg (Rowohlt) 1959 (rowohlts deutsche enzyklopädie. 90) — Enthalten in: Das Frühwerk. Düsseldorf (Rauch) 1967
Lettres à un ami allemand. Paris (Gallimard) 1945 — Dt.: Briefe an einen deutschen Freund. Übers. von Guido G. Meister. Enthalten in: Fragen der Zeit. Reinbek (Rowohlt) 1960; Kleine Prosa. Reinbek (Rowohlt) 1961 (rororo. 441)
Actuelles I, II, III. Paris (Gallimard) 1950—1953, 1958
L'Homme révolté. Paris (Gallimard) 1951 — Dt.: Der Mensch in der Revolte. Essays. Übers. von Justus Streller, neubearb. von Georges Schlocker unter Mitarbeit von François Bondy. Hamburg (Rowohlt) 1953 — Neuausg.: Reinbek (Rowohlt) 1969 (rororo. 1216/1217)
L'Été. Paris (Gallimard) 1954 — Dt.: Die Heimkehr nach Tipasa. Übers. von Monique Lang. Zürich (Die Arche) 1957 — Enthalten in: Literarische Essays. Hamburg (Rowohlt) 1959
Carnets, mai 1935 — février 1942. Paris (Gallimard) 1962 — Dt.: Tagebuch. Mai 1935 — Februar 1942. Übers. von Guido G. Meister. Reinbek (Rowohlt) 1963 — Enthalten in: Tagebücher 1935—1951. Reinbek (Rowohlt) 1972 (rororo. 1474)
Carnets, janvier 1942 — mars 1951. Paris (Gallimard) 1964 — Dt.: Tagebuch. Januar 1942 — März 1951. Übers. von Guido G. Meister. Reinbek (Rowohlt) 1967 — Enthalten in: Tagebücher 1935—1951. Reinbek (Rowohlt) 1972 (rororo. 1474)

Journaux de voyage. Hg. von Roger Quilliot. Paris (Gallimard) 1978 – Dt.: Reisetagebücher. Übers. von Guido G. Meister. Reinbek (Rowohlt) 1980 – Neuausg.: Reinbek (Rowohlt) 1987 (rororo. 5842)

Rede anläßlich der Entgegennahme des Nobelpreises am 10. Dezember 1957 in Stockholm. Hamburg (Rowohlt) 1957 – Enthalten in: Kleine Prosa. Reinbek (Rowohlt) 1961 (rororo. 441)
Literarische Essays. Übers. von Guido G. Meister, Peter Gan und Monique Lang. Hamburg (Rowohlt) 1959 (Inhalt: Licht und Schatten – Hochzeit des Lichts – Heimkehr nach Tipasa)
Fragen der Zeit. Ausgew. und zusammengestellt von Albert Camus. Übers. von Guido G. Meister. Reinbek (Rowohlt) 1960 – Neuausg.: Reinbek (Rowohlt) 1977 (rororo. 4111) (Inhalt: Brief an einen deutschen Freund – Die Befreiung von Paris – René Leynaud – Pessimismus und Tyrannei – Der Ungläubige und die Christen – Warum Spanien? – Verteidigung der Freiheit – Die Guillotine – Algerien – Ungarn – Der Künstler und seine Zeit)
Kleine Prosa. Übers. von Guido G. Meister. Reinbek (Rowohlt) 1961 (rororo. 441) (Inhalt: Nobelpreisrede – Der Künstler und seine Zeit – Licht und Schatten – Briefe an einen deutschen Freund – Der Abtrünnige oder ein verwirrter Geist – Die Stummen – Der Gast)
Minotaurus. Erinnerung und Bekenntnis. Übers. von Monique Lang. Zürich (Die Arche) 1966 (Arche-Bücherei. 428/429) – Enthalten in: Die Heimkehr nach Tipasa. Zürich (Die Arche) 1957; Literarische Essays. Hamburg (Rowohlt) 1959
Verteidigung der Freiheit. Politische Essays. Übers. von Guido G. Meister. Reinbek (Rowohlt) 1968 (rororo. 1096) (Inhalt: Die Befreiung von Paris – René Leynaud – Pessimismus und Tyrannei – Warum Spanien? – Verteidigung der Freiheit – Algerien – Ungarn)
Tagebücher 1935–1951. Übers. von Guido G. Meister. Reinbek (Rowohlt) 1972 (rororo. 1474)

3. Gesamtdarstellungen

Thorens, Léon: A la rencontre d'Albert Camus. Bruxelles, Paris 1946
Luppé, Robert de: Albert Camus. Paris 1951
Rodehau, Indes: Camus als existentialistischer Dichter. Diss. Hamburg 1952
Maquet, Albert: Albert Camus, ou l'invincible été. Paris 1956
Quillot, Roger: La mer et les prisons. Essai sur Albert Camus. Paris 1956
Thody, Philip: Albert Camus. A study of his work. London 1957 — Dt.: Albert Camus. Frankfurt a. M. — Bonn 1964
Hanna, Thomas: The thought and art of Albert Camus. Chicago 1958
Brée, Germaine: Camus. New Brunswick 1959 — Dt.: Albert Camus. Gestalt und Werk. Reinbek 1960
Brisville, Jean-Claude: Camus. Paris 1959
Champigny, Robert: Sur un héros païen. Paris 1959
Petersen, Carol: Albert Camus. Berlin 1961 (Köpfe des XX. Jahrhunderts. 22)

4. Würdigungen

Dumur, Guy: Portait d'Albert Camus. In: Confluences 4 (1944), Nr. 33, S. 65—68
Du Rostu, Jean: Un Pascal sans Christ, Albert Camus. In: Études 78 (1945), S. 48—65; 165—177
Ayer, Alfred Jules: Novellist philosopher, Albert Camus. In: Horizont 13 (1946), S. 155—168
Chiaromonte, Nicola: Albert Camus. In: New Republic 114 (1946), S. 630 bis 633

KEMP, ROBERT: Albert Camus. In: Erasme 1 (1946), S. 401—404
MALABARD, JEAN: L'œuvre d'Albert Camus. In: Revue de l'Université de Laval 1 (1946), S. 118—122
DESGRAUPES, PIERRE: Sur Albert Camus. In: Poésie 8 (1947), Nr. 37, S. 115 bis 125
FROHOCK, W. M.: Camus. Image, influence and sensibility. In: Yale French Studies 2 (1949), S. 91—99
MAURIAC, FRANÇOIS: Réponse à Albert Camus. In: La Table Ronde 1949, Nr. 14, S. 198—206
PERRUCHOT, HENRI: Albert Camus. In: Réalités 1949, Nr. 42, S. 73—84; 90
SIMON, PIERRE-HENRI: Camus ou le retour à l'homme. In: Revue générale belge 47 (1949), S. 767—777
SIMON, PIERRE-HENRI: Albert Camus ou l'invention de la justice. In: Simon, L'Homme en procès. Neuchâtel 1949. S. 93—123
BOIDEFFRE, PIERRE NERAUD DE: Albert Camus ou l'expérience tragique. In: Études 267 (1950), S. 303—325
BRÉE, GERMAINE: Introduction to Albert Camus. In: French Studies 4 (1950), S. 27—37
LEWALTER, CHRISTIAN E.: Der weltlose Mensch. Betrachtungen zu Albert Camus. In: Merkur 4 (1950), S. 1317—1320
MOUNIER, EMMANUEL: Albert Camus ou l'appel des humiliés. In: Esprit 18, I (1950), Nr. 163, S. 27—60 — Wiederabdruck in: Mounier, L'Espoir des désespérés, Paris 1953. S. 83—145
PERROND, ROBERT: Albert Camus delfino dell' esistenzialismo. In: Vita e pensiera 33 (1950), S. 97—108
ROSTENNE, PAUL: Un honnête homme. Albert Camus. In: La Revue Nouvelle 11 (1950), S. 234—243
PERRUCHOT, HENRI: Albert Camus. In: Revue de la Méditerranée 11 (1951), S. 614—657
SYLVESTRE, GUY: Albert Camus, journaliste. In: Revue dominicaine 57, I (1951), S. 34—41
TANS, JOSEPH A. G.: Albert Camus. Heiligheid zonder God. In: Kultuurleven 18 (1951), S. 718—728
BÉGUIN, ALBERT: Albert Camus, la révolté et le bonheur. In: Esprit 20, III (1952), S. 736—746
GUYOT, CHARLY: L'humanisme d'Albert Camus. In: Les Cahiers protestants 36 (1952), S. 54—64
JESCHKE, HANS: Albert Camus. Bild einer geistigen Existenz. In: Die Neueren Sprachen 1952, S. 459—473
LANSNER, KERMIT: Albert Camus. In: Kenyon Review 14 (1952), S. 562 bis 578
SARTRE, JEAN-PAUL: Réponse à Albert Camus. In: Les Temps Modernes 8 (1952), S. 334—353
SIMON, PIERRE-HENRI: Albert Camus entre Dieu et l'histoire. In: Terre humaine 1952, Nr. 2, S. 8—21
LE GRAND, ALBERT: Albert Camus. From absurdity to revolt. In: Culture 14 (1953), S. 406—422
MOELLER, CHARLES: Albert Camus ou l'honnêteté désespérée. In: Moeller Littérature du XXe siècle. T. 1. Paris 1953. S. 25—90
PLAGNAL, MAURICE: Albert Camus, esprit méditerranéen. In: Bulletin de l'Association Guillaume Budé 3 (1953), S. 101—113
BOASSO, FERNANDO: Albert Camus. In: Estudios 87 (1954), S. 214—223
BRODIN, PIERRE: Albert Camus. In: Brodin, Présences contemporaines T. 1.

Paris 1954. S. 443—460
SIMON, PIERRE-HENRI: Albert Camus renverse un idole. In: Simon, L'Esprit de l'histoire. Paris 1954. S. 182—193
STOCKWELL, H. C. R.: Albert Camus. In: The Cambridge Journal 7 (1954), S. 690—704
GRENZMANN, WILHELM: Albert Camus. In: Grenzmann, Weltdichtung der Gegenwart. Bonn 1955. S. 271—292
KAHLER, ERICH: The transformation of modern fiction. In: Comparative literature 7 (1955), S. 121—128
PERRUCHOT, HENRI: La Haine des masquet. Montherlant, Camus, Shaw Paris 1955
RATH, LEON: A contemporary moralist. Albert Camus. In: Philosophy 30 (1955), S. 291—303
HÜBSCHER, ARTHUR: Albert Camus. In: Hübscher, Denker unserer Zeit. München 1956. S. 246—249
BLÖCKER, GÜNTER: Die neuen Wirklichkeiten. Berlin 1957. S. 267—277
ROLO, CHARLES: Albert Camus. A good man. In: The Atlantic 1958, S. 27 bis 33
THIEBERGER, RICHARD: Albert Camus, sein Werk und Künstlertum. In: Universitas 14 (1959), S. 21—30
SARTRE, JEAN-PAUL: Albert Camus. In: Der Monat 1960, H. 2, S. 5—6
BLANCHET, ANDRÉ: Albert Camus. In: Dokumente 1960, S. 187—198
Sondernummern in Zeitschriften: La Table Ronde, Febr. 1960; La Nouvelle Revue Française, März 1960; Preuves, April 1960; Yale French Studies, Juni 1960

5. Untersuchungen

BONDY, FRANÇOIS: Albert Camus und die Welt des Absurden. In: Schweizer Annalen 3 (1946), S. 150—159
DRESDEN, S.: Camus en de problematiek van het absurde. In: Criterium 7 (1946), S. 168—182
MASON, HAVEN A.: A. Camus and the tragic hero. In: Scrutiny 14 (1946), S. 82—89
POUILLON, JEAN: L'optimisme de Camus. In: Les Temps Modernes 3 (1947), S. 921—929
BO, CARLO: Sull'opera di Camus. In: Humanitas 3 (1948), S. 879—912 — Wiederabdruck in: Bo, Della lettura e altri saggi. Firence 1953. S. 200 bis 226
CANTONI, REMO: L'uomo asserdo di Albert Camus. In: Studi filosofici 9 (1948), S. 72—87
DIEGUEZ, MANUEL DE: De l'Absurde. Préc. d'une lettre à Albert Camus. Paris 1948
HEPPENSTALL, RAYNER: Albert Camus and the romantic protest. In: Penguin New Writing 1948, Nr. 34, S. 104—116
MOHRT, MICHEL: Ethic and poetry in the work of Camus. In: Yale French Studies 1 (1948), S. 113—118
ROUSSEAUX, ANDRÉ: Albert Camus et la philosophie du bonheur. In: Cahiers de Neuilly 1948, Nr. 18, S. 10—32
ALBÉRÈS, RENÉ MARILL: Camus et le mythe de Prométhée. In: Albérès, La Révolte des écrivains d'aujourd'hui. Paris 1949. S. 63—81
GRUBBS, HENRY A.: Albert Camus and Graham Greene. In: Modern Lan-

guage Quarterly 10 (1949), S. 33—42
PORCARELLI, VANIO: Albert Camus e le teoria dell' assurdismo. In: Rivista di filosofia neo-scolastico 41 (1949), S. 308—319
ROVNET, L.: Albert Camus chez les chrétiens. In: La vie intellectuelle 17 (1949), S. 336—351
BRUZZI, AMELIA: Il regno dell' assurdo e la morale della rivolta nell'opera di Alberto Camus. In: Convivium 50 (1950), S. 333—366
FREYER, GRATTAN: The novels of Albert Camus. In: Envoy 3 (1950), Nr. 11, S. 19—35
LA PENNA, ANTONIO: Albert Camus o la conversione degli indifferenti. In: Belfagor 5 (1950), S. 617—635
LÜDERS, E. M.: Alles oder nichts. Zur Weltansicht Albert Camus'. In: Stimmen der Zeit 76 (1950/51), S. 105—117
KOHLER, ADOLF: Der Mythos des Menschen ohne Gott bei André Malraux und Albert Camus. In: Begegnung 6 (1962), S. 138—143
LENZ, JOSEPH: Die Philosophie des Absurden von Camus. In: Lenz, Der moderne deutsch-französische Existentialismus. Trier 1951. S. 125—130
ROSSI, PAOLO: Nihilismo e attivismo nelle opera di Albert Camus. In: Il Pensiero critico 2 (1951), S. 343—353
BLANCHET, ANDRÉ: L'homme révolté. In: Études 85 (1952), Nr. 172, S. 48—60
BOUDOT, M.: L'Absurde et le bonheur dans l'œuvre d'Albert Camus. In: Cahiers du Sud 39 (1952), S. 291—305
COLIN, PIERRE: Athéisme et révolté chez Camus. In: La vie intellectuelle 20 (1952), Nr. 7, S. 30—51
JEANSON, FRANCIS: Albert Camus ou l'âme révolté. In: Les Temps Modernes 7 (1952), S. 2070—2090
MIRÓ, QUESEDA, FRANCISCO C.: Camus y el movimiento intelectual francés contemporaneo. In: Mercurio pernano 27 (1952), Nr. 307, S. 452—480
RAYMOND, LOUIS-MARCEL: Les recherches d'Albert Camus. In: Revue dominicaine 58, II (1952), S. 35—47
KRINGS, HERMANN: Albert Camus oder die Philosophie der Revolte. In: Philosophisches Jahrbuch der Görres-Gesellschaft 62 (1953), S. 347—358
HEIST, WALTER: Albert Camus und der Nachfaschismus. In: Frankfurter Hefte 8 (1953), S. 296—303
HOEVEN, P. V. D.: Albert Camus als Moralist. In: Wending 8 (1953), S. 496—480
NAVARRO, OSCAR: Camus e la rivolta del personaggio. In: Aut . . . aut 1953, Nr. 14, S. 157—169
ROTHERA, H.: The development of social conscience in the writings of Albert Camus. Diss. Manchester 1953
ROUSSEAUX, ANDRÉ: La morale d'Albert Camus. In: Rousseaux, Littérature du vingtième siècle. Paris 1953. S. 196—212
JOHN, S.: The characters of Camus. In: University of Toronto Quarterly 23 (1954), S. 326—379
LUPO, VALERIA: I duo volti di Alberto Camus. In: Nuova Antologia 89 (1954), S. 487—506
BENEDIC, D.: Albert Camus en zijn dramatisch werk. In: De Gids 6 (1955), S. 114—125
JOHN, S.: Image and symbol in the work of Albert Camus. In: French Studies 9 (1955), S. 42—54
NÈGRE, LOUIS: Les Étapes d'Albert Camus. In: Bulletin de l'Association Guillaume Budé 4 (1955), S. 101—110
CRUICKSHANK, JOHN: Camus and language. In: Littérature moderne 6 (1956),

S. 197—203
GARVIN, HARRY R.: Camus and the American novel. In: Comparative literature 8 (1956), S. 194—204
HANNA, THOMAS: Albert Camus and the Christian faith. In: Journal of Religion 1956, S. 224—233
HORST, AGATHE: Albert Camus und das Problem der Schuld. In: Goetheanum 37 (1958), S. 28—31
PAEPCKE, FRITZ: Der Atheismus in der Sicht von Albert Camus. In: Eckart 72 (1958), S. 278—283
THEISS, RAIMUND: Albert Camus' Rückkehr zu Sisyphos. In: Romanische Forschungen 70 (1958), S. 66—90
CHRAILI, DRISS: Camus und Algerien. In: Dokumente 15 (1959), S. 70—74
MATHIEU, JEAN-CLAUDE: Das Absurde und die Schuld. Albert Camus' Auseinandersetzung mit der christlichen Ethik. In: Monatsschrift für Pastoraltheologie 48 (1959), S. 196—208
MOELLER, CHARLES: Literatur des XX. Jahrhunderts und Christentum. Bonn 1960. S. 3—37
GLOEGE, GERHARD: Aller Tage Tag. Stuttgart 1960. S. 276—282
SCHÜTZ, PAUL: Parousia. Heidelberg 1960. S. 376—387
BAHR, HANS-ECKEHARD: Poiesis-Theologische Untersuchung der Kunst. Stuttgart 1961. S. 222—231
MAYER, HANS: Sartre und Camus. Anmerkungen. Pfullingen 1965 (Opuscula. 29)
KOHLHASE, NORBERT: Dichtung und politische Moral. Eine Gegenüberstellung von Brecht und Camus. München 1965 (sammlung dialog. 2)
POLLMANN, LEO: Sartre und Camus. Literatur der Existenz. Stuttgart 1967 (Sprache und Literatur. 40)

6. Zu einzelnen Werken

GAILLARD, PAUL: Pièces fausses pièces vraies. Caligula ou l'absurde au pouvoir. In: Pensées 1945, S. 97—107
SARTRE, JEAN-PAUL: Explication de «L'étranger». Sceaux 1946 — Wiederabdruck in: Situations. Bd. 1. Paris 1947 — Dt.: «Der Fremde» von Camus. In: Situationen. Hamburg 1956 — Wiederabdruck in: Situationen. Essays. Reinbek 1965 (Rowohlt Paperback. 46)
TEULER, GABRIEL: Sur trois œuvres d'Albert Camus. In: Revue de la Méditerranée 3 (1946), S. 197—211
BOLLNOW, OTTO FRIEDRICH: Der Mythos von Sisyphos. In: Sammlung 2 (1947), S. 660—666
ROY, CLAUDE: La Peste. Remarques sur la révolté d'Albert Camus. In: Europe 25 (1947), S. 48—101
BOLLNOW, OTTO FRIEDRICH: Die Pest. In: Sammlung 3 (1948), S. 103—113
CHACEL, ROSA: Brèves exégèses de «La Peste». In: Sur 1948, Nr. 196, S. 65—85
LAFORGUE, RENÉ: La Peste et la vertu. In: Psyché 3 (1948), S. 406—420
KORN, KARL: Allegorien der Existenz. Zu Romanen von Camus und Kasack. In: Merkur 3 (1949), S. 90—97
KUECHLER, WALTER: Caligula. In: Neuphilologische Zeitschrift 1 (1949), S. 17—24
BESPALOFF, RACHEL: Le Monde du Condamné à mort. In: Eprit 18, 1 (1950), S. 1—26

DELMAS, CLAUDE: Chroniques des essais. Albert Camus, Actuelles. In: Synthèses 6 (1951), S. 430—440

MAURICE, CLAUDE: L'homme révolté. In: La Table Ronde 1951, S. 98—109

PETRONI, LIANO: Le Actuelles di Albert Camus. In: Rivista di letterature moderne 2 (1951), S. 287—311

STEIGER, VICTOR: La Peste d'Albert Camus. Essai d'interprétation. In: Jahresbericht der Aargauer Kantonschule 1951/52, S. 53—74

STRAUSS, WALTER A. F.: Albert Camus' Caligula. Anvient sources and modern parallels. In: Comparative literature 3 (1951), S. 160—173

BATAILLE, GEORGES: Le Temps de la révolté. In: Critique 6 (1951), S. 1019—1027; 7 (1952), S. 29—41

LEBOIS, ANDRÉ: Peste à Urana et Peste à Oran. Un comparaisón de deux livres par R. M. de Angelis et Albert Camus. In: Revue de littérature comparée 26 (1952), S. 465—467

BONDY, FRANÇOIS: Der Aufstand als Maß und als Mythos. Ein Blick auf das Werk von Albert Camus aus Anlaß von L'Homme révolté. In: Der Monat 6 (1953), S. 87—96

BOLLNOW, OTTO FRIEDRICH: Von der absurden Welt zum mittelmeerischen Gedanken. Bemerkungen zu Camus' neuem Buch «Der Mensch in der Revolte». In: Antares 2 (1954), S. 3—13

LUPO, VALERIA: La Ricerca del giusto in Camus: Les Justes. In: Ponte 10 (1954), S. 906—921

VIGGIANI, CARL A.: Camus L'Étranger. In: PMLA. 71 (1956), S. 865—887

HARTMANN, OLOF: Der Glaube und Sisyphos. In: Eckart-Jahrbuch 1956, S. 106—109

GABEL, JOSEPH: Die Verdinglichung in Camus' L'Étranger. In: Jahrbuch für Psychologie und Psychotherapie 5 (1957), S. 123—140

NOYER-WEIDNER, ALFRED: Das Formproblem der «Pest». In: Germanisch-Romanische Monatsschrift 8 (1958), S. 260—285

ROUDIEZ, LEON: The Literary climate of L'Étranger. In: Symposion 12 (1958), S. 19—35

MCPHEETERS, D. W.: Camus' Translations of plays by Lope and Calderón. In: Symposium 12 (1958), S. 52—64

ZELTNER-NEUKOMM, GERDA: Das falsche Ich (Albert Camus). In: Das Wagnis des französischen Gegenwartsromans. Reinbek 1960 (rowohlts deutsche enzyklopädie. 109). S. 66—72 [Zu «Der Fremde»]

Nachtrag zur Bibliographie

1. *Bibliographien, Fortschrittsberichte, Periodika*

BEEBE, MAURICE: Criticism of Albert Camus: a selected checklist of studies in English. In: Modern fiction studies 10 (1964), S. 303—314
Cahiers Albert Camus. Paris 1971 f
CRÉPIN, SIMONE: Albert Camus. Essai de bibliographie. Bruxelles 1961 (Coll. Bibliographia Belgica. 55)
FITCH, BRIAN T., und PETER C. HOY: Essai de bibliographie des études en langue française consacrées à Albert Camus (1937—1970). Paris 1972 (Coll. Calepins de bibliographie. 1)
GAY-CROSIER, RAYMOND: Camus. Darmstadt 1976 (Erträge der Forschung. 60)
HOY, PETER C.: Camus in English. An annotated bibliography of Albert Camus' contributions to English and American periodicals and newspapers 1945—1968. 2. ed. Paris 1971 (Biblio notes. 4)
LUPPÉ, ROBERT: Camus. Bibliographie. Paris 1976 (Classiques du XXe sciècle. 1)
MATTHEWS, J. H.: Critique anglo-saxonne de Camus. Sélection bibliographique. In: Revue des lettres modernes 8 (1961), S. 483—495
ROENNING, ROBERT FREDERICK: Camus. A Bibliography. Madison 1968
SCHLETTE, HEINZ ROBERT: Veröffentlichungen über Albert Camus in deutscher Sprache. In: SCHLETTE, Wege der deutschen Camus-Rezeption. Darmstadt 1975
THIEBERGER, RICHARD: Albert Camus seit seinem Tod. In: Zeitschrift für französische Sprache und Literatur 74 (1964), S. 130—145
Critique allemande de Camus. Sélection bibliographique. In: Revue des lettres modernes 90—93 (1963), S. 201—207

2. *Gesamtdarstellungen und Würdigungen*

Albert Camus. Paris 1966 (Coll. Génies et réalités. 21)
BROCHIER, HUBERT: Albert Camus, philosophe. Paris 1970
CLAYTON, ALAN J.: Étapes d'un itinéraire spirituel: Albert Camus de 1937 à 1944. Paris 1971 (Archives des lettres modernes. 122)
DURAND, ANNE: Le cas Albert Camus. Paris 1961 (Coll. Célébrités d'aujourd'hui. 3)
GAGNEBIN, LAURENT: Albert Camus dans la lumière. Essai sur l'évolution de sa pensée. Lausanne 1964 (Cahiers de la renaissance vaudoise. 46)
GAILLARD, POL: Albert Camus. Paris 1973 (Coll. Présence littéraire. 813)
KRIEGER, ERHARD: Große Europäer heute: Erasmus von Rotterdam, Carl J. Burckhardt, Richard Graf Coudenhove-Kalergi, Albert Camus. Frankfurt 1964
LAZERE, DONALD: The unique creation of Albert Camus. New Haven 1973
LÉVI-VALENSI, JACQUELINE: Albert Camus. Paris 1970 (Les critiques de notre temps. 1)
MAILHOT, LAURENT: Albert Camus ou l'imagination du désert. Montréal 1973
MAJAULT, JOSEPH: Camus, révolte et liberté. Paris 1965
MELCHINGER, CHRISTA: Albert Camus. 2. Aufl. Velber 1970 (Friedrichs Dramatiker des Welttheaters. 40)

Lebesque, Morvan: Albert Camus par lui même. Paris 1963 (Coll. Écrivains de toujours. 64)
Nicolas, André: Albert Camus ou le vrai prométhée. Paris 1966
Pfeiffer, Johann: Sinnwidrigkeit und Solidarität. Beitr. zum Verständnis von Albert Camus. Berlin 1969
Simon, Pierre Henri: Présence de Camus. Paris 1961
Thieberger, Richard: Albert Camus. Eine Einführung in sein dichterisches Werk. Frankfurt a. M.—Berlin—Bonn 1961 (Die neueren Sprachen, Beih. 8)

3. Untersuchungen

a) Zu den einzelnen Problemen

Abbou, André: Combat pour la justice. In: La revue des lettres modernes 6 (1972), S. 35—81
Archambault, Paul: Camus' Hellenic sources. Chapel Hill 1972 (University of North Carolina. Studies in the Romance Languages and literatures. 119)
Bouchez, Madeleine: Les justices de Camus. Analyse critique. Paris 1974 (Coll. Profil d'une œuvre. 47)
Camus 1970. Actes par Robert J. Champigny ... du colloque organisé ... du Département des langues et littératures romanes de l'Université de Floride. Présentés par Raymond Gay-Crosier. Sherbrooke 1970
Coombes, Ilona: Camus, homme de théâtre. Paris 1968
Costes, Alain: Albert Camus et la parole manquante. Étude psychoanalytique. Paris 1973
Crochet, Monique: Les Mythes dans l'œuvre de Camus. Paris 1973
Cruickshank, John: Albert Camus and the literature of revolt. New York 1960 (Galaxy book. 43)
Cryle, Peter: Bilan critique. L'exil et le royaume d'Albert Camus. Essai d'analyse. Paris 1973 [1974]. (Situation. 28)
Di Méglio, Albert: Antireligiösität und Kryptologie bei Albert Camus. Bonn 1975
Freeman, E.: The Theatre of Albert Camus. A critical study. London 1971
Gassin, Jean: La sadisme dans l'œuvre de Camus. In: La revue des lettres modernes 6 (1973), S. 121—144
Gay-Crosier, Raymond: Les envers d'un échec. Étude sur le théâtre d'Albert Camus. Paris 1967 (Bibliothèque des lettres modernes. 10)
Gelinas, Germain Paul: La liberté dans la pensée d'Albert Camus. Fribourg (Suisse) 1964 (Coll. Seges. 3)
Ginestier, Paul: La pensée de Camus. Paris 1964
Goedert, Georges: Albert Camus et la question du bonheur. Paris 1969
Harris, Kenneth Arlen: The political thought of Albert Camus. The limits of liberalism. [Diss. Lawrence/Kan. 1969] High Wycombe 1971
Holdheim, William Wolfgang: Der Justizirrtum als literarische Problematik. Berlin 1969
Jonescu, Rica: Paysage et psychologie dans l'œuvre de Camus. In: Revue des sciences humaines 34 (1969), S. 317—330
Lavoi, Raymond: La mort dans l'œuvre romanesque d'Albert Camus. Sherbrooke 1971
Linde, Glsela: Das Problem der Gottesvorstellung im Werk von Albert Camus. Münster 1975

MASSIN, ROLF: Das «oui» und das «non». Eine Untersuchung über Affirmationen und Negationen im Werk von Albert Camus. [Diss.] Münster 1973
NGUYEN VAN HUY, PIERRE: La métaphysique du bonheur chez Albert Camus. Neuchâtel 1968
PAPAMALAMIS, DIMITRIS: Albert Camus et la pensée grecque. Nancy 1965 (Université de Nancy. Centre européen universitaire. Collection des mémoires. 11)
PELZ, MANFRED: Die Novellen von Albert Camus. Interpretation. Freiburg i. Br. 1973 (Französische Literatur- und Sprachstudien. Reihe A. Bd. 1)
QUINN, RENÉE: Albert Camus devant le problème algérien. In: Revue des sciences humaines 32 (1967), 128, S. 613—631
RUEHLING, ALFRED: Negativität bei Albert Camus. Bonn 1974
STUBY, GERHARD: Recht und Solidarität im Denken Albert Camus. Frankfurt a. M. 1965 (Philosophische Abhandlungen. 26)
TIMM, UWE: Das Problem der Absurdität bei Albert Camus. Hamburg 1971 (Geistes- und sozialwissenschaftliche Dissertationen. 20)
TREIL, CLAUDE: L'indifférence dans l'œuvre d'Albert Camus. Montréal—Paris 1971 (Profils. 4)
VIALLANEIX, PAUL: Le premier Camus. Suivi de l'écrits de jeunesse d'Albert Camus. Paris 1973 (Cahiers Albert Camus. 2)
WILLHOITE, FRED HALE: Beyond nihilism. Albert Camus' contribution to political thought. Baton Rouge 1968

b) Zu den einzelnen Werken

ABBOU, ANDRÉ: La source du «Malentendu». In: Revue des lettres modernes 238—244 (1970), S. 301—302
ANDRIANNE, RENÉ: Soleil, ciel et lumière dans «L'Étranger». In: Revue romane 7 (1972), H. 2, S. 161—176
BAZIN, JEAN DE: Index du vocabulaire de «L'Étranger» d'Albert Camus. Paris 1969
BRUÉZIÈRE, MAURICE: Albert Camus. «La Peste». In: Le français dans le monde 11 (1972), H. 87, S. 38—45
CASTEX, PIERRE GEORGES: Albert Camus et «L'Étranger». Paris 1965
DUROSAY, DANIEL: «La Chute» d'Albert Camus. In: Français dans le monde 9 (1970), S. 25—34
FITCH, BRIANT T.: «L'Étranger» d'Albert Camus. Un texte, ses lecteurs, leurs lectures. Étude méthodologique. Paris 1972
FREEMANN, E.: Camus' «Les Justes», modern tragedy or oldfashioned melodrama? In: Modern language quarterly 31 (1970), S. 78—91
HEWITT, NICHOLAS: «La Chute» and «Les Temps modernes». In: Essays in French literature 10 (1973), S. 64—81
HIRDT, WILLI: «La Mort heureuse» von Albert Camus. In: Archiv für das Studium der neueren Sprachen und Literaturen 126 (1974), H. 2, S. 334—349
KING, ADÈLE: «Jonas» ou l'artiste au travail. In: French studies 20 (1966), H. 3, S. 267—280
KRAUSS, HENNING: Zur Struktur des «Étranger». In: Zeitschrift für französische Sprache und Literatur 80 (1970), H. 3, S. 210—229
MATTHEWS, J. H.: In which Albert Camus make his leap: «Le Mythe de sisyphe». In: Symposium 24 (1970), H. 3, S. 277—288
MERAD, GHANI: «L'Étranger» de Camus vu sous un angle psychosociologique. In: Revue romane 10 (1975), S. 51—91

Rey, Pierre Louis: «L'Étranger», Camus. Analyse critique. Paris 1970
Tucker, Warren: «La Chute»: Voie du salut terrestre. In: French review 43 (1970), S. 737—744
Walker, I. H.: The composition of «Caligula». In: Symposium 20 (1966), H. 3, S. 263—277

4. Beziehungen und Wirkungen

Aubyn, F. C. St.: A note on Nietzsche and Camus. In: Comparative literature 20 (1968), H. 2, S. 110—115
Balz, Heinrich: Aragon, Maulraux, Camus. Korrektur am literarischen Engagement. Stuttgart—Berlin—Köln 1970 (Sprache und Literatur. 36)
Bartfeld, Fernande: Camus et Hugo. Essai de lectures comparées. Paris 1975 (Coll. Archives des lettres modernes. 156. Sér. Archives Albert Camus. 3)
Champigny, Robert: Humanism and human racism. A critical study of essays by Sartre and Camus. The Hague 1972 (De proprietatibus litterarum. Ser practica. 41)
Clayton, A. J.: Note sur Augustin et Camus. In: La revue des lettres modernes 6 (1972), S. 267—270
Coffy, Robert: Dieu des athèes Marx, Sartre, Camus. Lyon 1965
Denker, Ralf: Individualismus und mündige Gesellschaft: Simmel, Popper, Habermas, Dostojewskij, Camus, Ortega. Berlin—Köln—Mainz 1968
Espian de la Maëstre, André: Der Sinn und das Absurde. Malraux, Camus, Sartre, Claudel, Peguy. Salzburg 1961
Falk, Eugene H.: Types of thematic structure. The nature and function of motifs in Gide, Camus and Sartre. Chicago 1967
Fitch, Brian T.: Le sentiment d'étrangeté chez Malraux, Sartre, Camus et Simone de Beauvoir. Paris 1964 (Bibliothèque des lettres modernes. 5)
Frese Witt, Mary Ann: Camus et Kafka. In: Revue des lettres modernes 3 (1971), S. 71—86
Gauger, Rosemarie: Littérature engagée in Frankreich zur Zeit des 2. Weltkrieges: Die literarische Auseinandersetzung Sartres, Camus, Aragons und Saint-Exupérys mit der Politischen Situation ihres Landes. Göppingen 1971
Guers-Villate, Yvonne: Revolt and submission in Camus and Bernanos. In: Renascence 24 (1972), H. 4, S. 189—197
Henry, Patrick: Voltaire and Camus: The limits of reason and the awareness ob absurdity. Banbury 1975
Johnson, Patricia: Camus et Robbe-Grillet. Structure et techniques narratives dans «Le Renégat» de Camus et «Le Voyeur» de Robbe-Grillet. Paris 1972
Kirk, Irina: Dostoevskij and Camus: The themes of consciousness, isolation, freedom and love. München 1974
Koppenhaver, Allan J.: The «Fall» and after: Albert Camus and Arthur Miller. In: Modern drama 9 (1966), S. 206—209
Maurois, André: Von Proust bis Camus. München 1964
Miller, Owen J.: Camus et Hemingway: Pour une évaluation méthodologique. In: Revue des lettres modernes 3 (1971), S. 9—42
Mounier, Emmanuel: Malraux, Camus, Sartre, Bernanos. L'espoir des désespérés. Paris 1970
Neudeck, Rupert: Die politische Ethik bei Jean Paul Sartre und Albert Camus. Bonn 1975

RHEIN, PHILLIP H.: The urge to live. A comparative study of Franz Kafka's «Der Prozess» and Albert Camus' «L'Étranger». Chapel Hill 1964 (University of North Carolina. Studies in the Germanic languages and literatures. 45)

STURM, ERNEST: Conscience et impuissance chez Dostoievski et Camus. Parallèle entre «le sous-sol» et «la chute». Paris 1967

TRUFFAUT, LOUIS: La thématique du soleil chez Valéry, Claudel et Camus. In: Die neueren Sprachen 68 (1969), H. 5, S. 239–258

WELLERSHOFF, DIETER: Der Gleichgültige. Versuche über Hemingway, Camus, Benn und Beckett. Köln–Berlin 1963 (Essay. 2)

WERNER, ERIC: De la violence au totalitarisme. Essai sur la pensée de Camus et de Sartre. Paris 1972

NAMENREGISTER

Die kursiv gesetzten Zahlen bezeichnen die Abbildungen

QUELLENNACHWEIS DER ABBILDUNGEN

Paris-Match: 8, 9 und Umschlag-Rückseite, 12, 13, 16/17, 20, 66, 68, 84, 110/111, 112, 134/135, 144, 145 oben und unten, 148 oben und unten, 149 oben und unten, 155, 156 / Ullstein: 10, 14/15, 39, 51, 65, 76/77, 91, 95, 101, 104, 120, 121 oben, 124, 128/129 / Agence de Press Bernand: 33, 87, 114/115, 116, 140, 143 / Süddeutscher Verlag: 52, 63, 121 unten, 125, 152 / Süddeutscher Verlag (Photo Ursula Willke): 71 / Historia Photo: 99, 100, 132 / Aus Isnard, L'Algérie, Paris/Grenoble: 24, 30, 136 / Archäologisches Seminar, Hamburg: 58, 106 / dpa: 60, 73, 118 / Radio Times Hulton Picture Library: 55, 81 und Umschlag-Vorderseite / Rowohlt Archiv: 6, 47 / Aus L'Algérie Contemporaine (Paris 1954): 40, 159 / Archiv für Kunst und Geschichte: 79 / Cine Vendome: 147 / Éditions du Seuil: 70 / Gisèle Freund: 75 / Photo Martin: 27 / Österreichische Nationalbibliothek: 96 / Photo Pic: 163

rowohlts bildmonographien

Thema Literatur

Erling Nielsen
Hans Christian Andersen (5)

Helene M. Kastinger Riley
Achim von Arnim (277)

Helmut Hirsch
Bettine von Arnim (369)

Gaëtan Picon
Honoré de Balzac (30)

Pascal Pia
Charles Baudelaire (7)

Christiane Zehl Romero
Simone de Beauvoir (260)

Klaus Birkenhauer
Samuel Beckett (176)

Bernd Witte
Walter Benjamin (341)

Walter Lennig
Gottfried Benn (71)

Klaus Schröter
Heinrich Böll (310)

Peter Rühmkorf
Wolfgang Borchert (58)

Marianne Kesting
Bertolt Brecht (37)

Ernst Johann
Georg Büchner (18)

Joseph Kraus
Wilhelm Busch (163)

Hartmut Müller
Lord Byron (297)

Morvan Lebesque
Albert Camus (50)

J. Rives Childs
Giacomo Casanova de Seingalt (48)

Elsbeth Wolffheim
Anton Cechov (307)

Anton Dieterich
Miguel de Cervantes (324)

Peter Berglar
Matthias Claudius (192)

Kurt Leonhard
Dante Alighieri (167)

Johann Schmidt
Charles Dickens (262)

Klaus Schröter
Alfred Döblin (266)

Janko Lavrin
Fjodor M. Dostojevskij (88)

Peter Berglar
Annette von Droste-Hülshoff (130)

Paul Stöcklein
Joseph von Eichendorff (84)

Jürgen Manthey
Hans Fallada (78)

Peter Nicolaisen
William Faulkner (300)

Reinhold Jaretzky
Lion Feuchtwanger (334)

Jean de la Varende
Gustave Flaubert (20)

Helmuth Nürnberger
Theodor Fontane (145)

Volker Hage
Max Frisch (321)

Franz Schonauer
Stefan George (44)

C 2058/6

rowohlts bildmonographien

Thema Literatur

Claude Martin
André Gide (89)

Peter Boerner
Joahnn Wolfgang von Goethe (100)

Rolf-Dietrich Keil
Nikolai W. Gogol (342)

Nina Gourfinkel
Maxim Gorki (9)

Georg Bollenbeck
Oskar Maria Graf (337)

Heinrich Vormweg
Günter Grass (359)

Hermann Gerstner
Brüder Grimm (201)

Curt Hohoff
Johann Jakob Christoph von Grimmelshausen (267)

Martin Beheim-Schwarzbach
Knut Hamsun (3)

Kurt Lothar Tank
Gerhart Hauptmann (27)

Hayo Matthiesen
Friedrich Hebbel (160)

Detlef Brennecke
Sven Hedin (355)

Ludwig Marcuse
Heinrich Heine (41)

Georges-Albert Astre
Ernest Hemingway (73)

Bernhard Zeller
Hermann Hesse (85)

Ulrich Häussermann
Friedrich Hölderlin (53)

Gabrielle Wittkop-Ménardeau
E.T.A. Hoffmann (113)

Werner Volke
Hugo von Hofmannsthal (127)

Herbert Bannert
Homer (272)

Dieter Hildebrandt
Ödön von Horváth (231)

Gerd Enno Rieger
Henrik Ibsen (295)

Francois Bondy
Eugène Ionesco (223)

Jean Paris
James Joyce (40)

Luiselotte Enderle
Erich Kästner (120)

Klaus Wagenbach
Franz Kafka (91)

Bernd Breitenbruch
Gottfried Keller (136)

Adolf Stock
Heinar Kipphardt (364)

Curt Hohoff
Heinrich von Kleist (1)

Paul Schick
Karl Kraus (111)

Erika Klüsener
Else Lasker-Schüler (283)

Richard Aldington
David Herbert Lawrence (51)

C 2058/6 a

rowohlts bildmonographien

Thema Literatur

Marion Giebel
Sappho (291)

Walter Biemel
Jean-Paul Sartre (87)

Friedrich Burschell
Friedrich Schiller (14)

Ernst Behler
Friedrich Schlegel (123)

Hartmut Scheible
Arthur Schnitzler (235)

Jean Paris
William Shakespeare (2)

Hermann Stresau
George Bernhard Shaw (59)

Manfred Linke
Carl Sternheim (278)

Urban Roedl
Adalbert Stifter (86)

Hartmut Vincon
Theodor Storm (186)

Justus Franz Wittkop
Jonathan Swift (242)

Fritz Heinle
Ludwig Thoma (80)

Hans-Dieter und Helmut Klumpjan
Henry David Thoreau (356)

Wolfgang Rothe
Ernst Toller (312)

Janko Lavrin
Lev Tolstoj (57)

Otto Basil
Georg Trakl (106)

Tschechow
(siehe Cechov)

Klaus-Peter Schulz
Kurt Tucholsky (31)

Thomas Ayck
Mark Twain (211)

Volker Dehs
Jules Verne (358)

Hans-Uwe Rump
Walther von der Vogelweide (209)

Günter Seehaus
Frank Wedekind (213)

Jochen Vogt
Peter Weiss (367) Juni '87

Peter Funke
Oscar Wilde (148)

Werner Waldmann
Virginia Woolf (323)

Marc Bernard
Émile Zola (24)

Thomas Ayck
Carl Zuckmayer (256)

bildmono ro ro ro graphien

C 2058/6 c

rowohlts bildmonographien

Thema Geschichte

Gösta v. Uexküll
Konrad Adenauer (234)

Gerhard Wirth
Alexander der Große (203)

Bernd Rill
Kemal Atatürk (346)

Marion Giebel
Augustus (327)

Justus Franz Wittkop
Michail A. Bakunin (218)

Wilhelm Mommsen
Otto von Bismarck (122)

Hans Oppermann
Julius Caesar (135)

Reinhold Neumann-Hoditz
Nikita S. Chruschtschow (289)

Sebastian Haffner
Winston Churchill (129)

Reinhold Neumann-Hoditz
Dschingis Khan (345)

Jürgen Miermeister
Rudi Dutschke (349)

Hermann Alexander Schlögl
Echnaton (350)

Herbert Nette
Elisabeth I. (311)

Georg Holmsten
Friedrich II. (159)

Herbert Nette
Friedrich II. von Hohenstaufen (222)

Elmar May
Che Guevara (207)

Helmut Presser
Johannes Gutenberg (134)

Harald Steffahn
Adolf Hitler (316)

Reinhold Neumann-Hoditz
Ho Tschi Minh (182)

Peter Berglar
Wilhelm von Humboldt (161)

Herbert Nette
Jeanne d'Arc (253)

Wolfgang Braunfels
Karl der Große (187)

Herbert Nette
Karl V. (280)

Gösta v. Uexküll
Ferdinand Lassalle (212)

Hermann Weber
Lenin (168)

Bernd-Rüdiger Schwesig
Ludwig XIV. (352)

Helmut Hirsch
Rosa Luxemburg (158)

Edmond Barincou
Niccolò Machiavelli (17)

C 2053/8